D0497039

MÉLODIE POUR UN AMOUR

BARBARA CARTLAND

MÉLODIE POUR UN AMOUR

Roman

V&O
ÉDITIONS
27, rue Garnier – 92523 Neuilly Cedex

Titre original :

A THEATRE OF LOVE

Publié en Angleterre en 1991
par Mandarin Paperbacks,
Michelin House, 81 Fulham Road,
Londres SW 3 6 RB

Traduit de l'anglais par Claudia Charaire

© Cartland Promotions, 1991
Pour la traduction française :
© V & O éditions, 1992

Tous droits de reproduction ou d'adaptation,
sous quelque forme que ce soit, réservés pour tous pays.
(Édition originale : 0 7493 07744 7
PB Mandarin Paperbacks)
ISBN : 2-87876-019-0

NOTE DE L'AUTEUR

Il semble extraordinaire qu'on n'ait écrit aucun ouvrage sur les nombreux théâtres privés qui existaient aux XVIIIᵉ et XIXᵉ siècles dans le monde entier.

Ces théâtres étaient splendides. On peut encore admirer celui du Palais d'Hiver de Leningrad. Quant au théâtre privé du prince Ysvolsov, il est exactement tel que je l'ai décrit dans ce livre.

En Hongrie, dans le palais Esterhazy, existait aussi, en plus du théâtre de marionnettes, une salle d'opéra qui a malheureusement été détruite lors d'un incendie et n'a jamais été reconstruite.

Dans les grandes familles d'Angleterre, le rituel des fêtes de Noël se transmettait de génération en génération.

Un grand nombre de ces familles organisaient une distribution de cadeaux comme celle que j'ai racontée ici et je me souviens que ma grand-mère offrait chaque année, à toutes les femmes qui travaillaient sur son domaine, un coupon de flanelle rouge pour se faire un jupon. Je pensais alors que certaines d'entre elles auraient peut-être préféré une autre couleur !

Quant aux sonneurs de carillon dont je parle, je les ai rencontrés chez mon grand-oncle où nous passions tous les ans les fêtes de Noël. Les airs magnifiques qu'ils parvenaient à tirer de leurs carillons me fascinaient.

God Rest Ye Merry, Gentlemen, qui dans ce livre est chanté par une chorale masculine, est un des plus anciens noëls anglais. Il était chanté dans les rues comme le premier chant de Noël en Judée, et c'était un des airs favoris des trouvères au Moyen Age.

Autrefois, les enfants le chantaient de maison en maison, dans l'espoir de recevoir en échange quelques pièces de monnaie, une orange ou un petit gâteau.

CHAPITRE I

HIVER 1879

Le duc de Moorminster revint en Angleterre de fort méchante humeur.

Envoyé en mission en Hollande par la reine Victoria et le Premier ministre, il avait fait un voyage très fatigant.

S'il y avait une chose au monde qu'il trouvait assommante, c'étaient bien les discours officiels prononcés par des bourgmestres, même si ces bourgmestres ressemblaient exactement à leurs ancêtres, ceux dont les portraits étaient exposés au Rijksmuseum, à Amsterdam.

En les écoutant, le duc se demandait si l'on pouvait tirer quelque chose de ces filandreuses platitudes.

Cependant, grâce à ce qu'il considérait comme une chance exceptionnelle, il avait pu quitter la Hollande un jour plus tôt que prévu.

Il avait donc envoyé un télégramme, par le canal de l'ambassade d'Angleterre, pour prévenir ses domestiques. Au moins ainsi lui préparerait-on un bon dîner pour son retour.

Mais le sort lui était contraire : le bateau avait

quitté Rotterdam en retard et la mer s'était révélée extrêmement mauvaise.

Le duc avait le pied marin, mais la pluie et le vent glacial l'avaient empêché de sortir sur le pont. Il s'était donc trouvé confiné dans une cabine qui, à son avis, était à peine plus grande qu'un clapier !

Ce fut un grand soulagement quand, débarquant sur les quais de Londres, il retrouva sa voiture personnelle attelée à deux de ses meilleurs chevaux.

Son secrétaire, M. Watson, était là également pour s'occuper des bagages.

Après l'avoir salué, le duc s'éloigna rapidement, n'ayant qu'une idée en tête : rentrer chez lui à Grosvenor Square et prendre un bain bien chaud.

Il était beaucoup plus tard que prévu et il mourait de faim. Mais ni le verre de champagne servi par son valet de chambre, ni les canapés au foie gras ne lui rendirent complètement sa bonne humeur.

En montant dans sa chambre, les sourcils froncés, il avait l'air soucieux.

La valet de pied, qui attendait le retour du valet de chambre avec les bagages, le regardait avec appréhension.

M. Watson avait posé en évidence sur une commode les lettres les plus urgentes arrivées au courrier pendant son absence.

Elles n'étaient pas nombreuses. Mais le duc

10

savait qu'il y en avait encore une bonne pile en bas dans son bureau.

Il n'avait aucunement l'intention de les lire avant le lendemain. Il examina pourtant celles qui se trouvaient sur la commode et remarqua une enveloppe bleue.

Il reconnut l'écriture, comme l'avait reconnue M. Watson qui s'était donc bien gardé de l'ouvrir.

Le duc mit les autres lettres de côté et, après avoir ouvert l'enveloppe, en tira un billet de Fiona Faversham.

Il savait, avant même de la lire, que c'était une lettre de bienvenue pour son retour que Fiona lui avait envoyée pour qu'il la trouve à son arrivée le lendemain.

Lady Faversham faisait maintenant tellement partie de sa vie qu'il se demandait parfois pourquoi elle se donnait la peine de lui écrire.

Pendant son séjour en Hollande, il avait reçu presque tous les jours une lettre d'elle. Il ne paraissait donc pas indispensable qu'elle lui écrivît encore pour son retour.

Elle souhaitait sans aucun doute passer la soirée du lendemain avec lui.

Après avoir lu les mots tendres par lesquels elle commençait, il comprit de quoi il retournait.

C'était très clair et sans ambiguïté.

Fiona rêvait de l'épouser. Et la plupart de leurs amis pensaient qu'elle arriverait probablement à ses fins.

A trente-quatre ans, le duc était parfaitement conscient qu'il était grand temps qu'il donne un héritier à sa famille.

Les allusions permanentes de son entourage confirmaient que c'était pour lui une véritable obligation. Et ils étaient tous prêts à accueillir Fiona à bras ouverts.

C'était une des plus belles femmes d'Angleterre et tout le monde pensait qu'il était très entiché d'elle. De plus, c'était la fille du duc de Cumbria.

Le seul inconvénient dans toute cette histoire, c'est que le duc, lui, n'avait aucune envie de se marier.

S'il devait vraiment le faire, il préférait choisir sa femme sans avoir à subir la pression de qui que ce fût.

Il ne voulait en aucun cas être forcé par des gens qui, à son avis, auraient mieux fait de se mêler de leurs propres affaires. Et ceci incluait sa famille au grand complet.

Il accomplissait scrupuleusement ses devoirs vis-à-vis de ses innombrables oncles et tantes, sans oublier aucun de ses non moins nombreux cousins. Mais il ne supportait pas qu'ils outrepassent leurs droits et qu'ils interfèrent dans sa vie privée.

C'est vrai qu'il trouvait lady Faversham très jolie.

Quand elle avait fait son entrée à Londres, à la fin de son deuil, il n'avait pas pu lui résister.

Elle avait été mariée à lord Faversham alors qu'elle avait à peine dix-huit ans.

Ce lord Faversham ne venait pas seulement d'une des plus vieilles familles d'Angleterre, mais de plus il était, à cette époque, extrêmement riche. Il était aussi très beau.

La plaisanterie courait qu'il avait eu plus d'affaires de cœur que la plupart des gens n'ont eu de bons dîners. Mais il était tombé follement amoureux de Fiona.

Elle-même avait succombé à son charme, et sa famille, séduite, avait caressé l'idée qu'il allait enfin « tourner la page ».

La nature humaine étant ce qu'elle est, il n'en avait rien fait.

Après une lune de miel passée à visiter tous les endroits romantiques d'Europe, il était rentré en Angleterre avec sa femme.

Puis il avait repris sa vie là où il l'avait laissée.

Le drame était qu'Eric Faversham était incapable de résister à une jolie femme.

« Cela n'a aucune importance, ma chérie », avait-il coutume de dire à Fiona.

Un jour, elle apprit qu'il avait passé la nuit avec une femme dont la beauté faisait la une des journaux et des magazines.

« Mais vous m'avez trompée! avait plaintivement protesté Fiona.

— Je vous aime et je vous promets que ce que j'éprouve pour Isabelle n'est pas plus important que le plaisir de boire une coupe de champagne. »

Malheureusement, avec les années, les « coupes de champagne » s'étaient multipliées.

Fiona s'apprêtait à déclarer qu'elle n'en supporterait pas plus quand Eric Faversham mourut.

Il participait à un *steeple chase* où tous les cavaliers avaient trop bien mangé et trop bien bu. En effet, un des participants les avait stupidement mis au défi de disputer cette course à la fin du repas.

Ils portaient leurs tenues de soirée, et un bandeau noir leur couvrait un œil. De nombreux cavaliers avaient été blessés et deux des chevaux avaient dû être abattus. Eric Faversham, lui, s'était rompu les vertèbres cervicales et il était mort sur le coup.

Fiona n'avait même pas fait mine d'être chagrinée. Elle avait été trop humiliée par les nombreuses aventures sentimentales de son mari en même temps qu'ulcérée de voir qu'elle ne parvenait pas à le retenir.

Et pourtant, quelques années après son mariage, sa beauté avait atteint une plénitude qui faisait l'admiration de tous les autres hommes.

Pendant l'année de deuil qu'il était de bon ton d'observer, elle s'était retirée chez son père à la campagne. La reine Victoria n'aurait supporté en aucune façon que ce délai fût raccourci.

Fiona avait été assez raisonnable pour ne retourner à Londres qu'après avoir quitté la dernière de ses robes grises ou mauves. Du reste, rien ne lui allait aussi bien que ses robes de deuil.

Ses cheveux étaient roux, du roux profond des femmes hongroises, et sa peau était d'une blancheur éblouissante.

Mais ses yeux n'étaient pas du vert clair qu'on aurait pu attendre avec un teint pareil. Cependant, lorsqu'un homme avait plongé son regard dans le sien, il se sentait comme aspiré par un tourbillon. Et il n'avait alors plus aucune chance de salut.

Dire que l'arrivée de Fiona à Londres fit sensation est peu dire.

A vingt-cinq ans, elle n'était plus la jeune fille simple et innocente qu'elle était lors de son mariage.

Son mari lui avait tout enseigné de l'amour. Et elle avait également beaucoup appris des femmes qu'il assimilait à des « coupes de champagne ».

Fiona décida que son second mariage serait totalement différent du premier.

En plus de tout ce qu'elle reprochait à Eric, elle avait découvert après sa mort qu'il était couvert de dettes et qu'il n'était pas, loin s'en faut, aussi riche que ses parents et elle-même l'avaient imaginé.

Il avait multiplié les dépenses folles pour son train de vie, et plus particulièrement pour les fêtes qu'il donnait. En outre, il s'était montré inconsidérément généreux avec les femmes dont il s'éprenait et c'était un joueur impénitent.

S'il lui avait laissé assez d'argent pour qu'elle puisse vivre confortablement, ce n'était pas la fortune que Fiona avait escomptée.

Elle prétendait cependant tenir le haut du pavé et voulait que sa position sociale la plaçât juste au-dessous de la famille royale.

Elle souhaitait également un mari assez riche pour satisfaire tous ses caprices.

Or, un seul homme remplissait toutes ces conditions. Et il était également assez beau pour faire battre son cœur plus vite.

Cet homme, c'était le duc de Moorminster.

A l'occasion de leur première rencontre, ils avaient presque été instinctivement attirés l'un vers l'autre et elle avait pensé qu'elle avait enfin tiré le « bon numéro ».

La difficulté était de le persuader de prononcer les cinq mots magiques : « Voulez-vous être ma femme ? »

En réalité, depuis le début, le duc était parfaitement conscient des intentions de Fiona.

Toutes les femmes qu'il avait rencontrées depuis sa sortie d'Eton, le plus prestigieux collège d'Angleterre, avaient tenté de le séduire. Il aurait fallu qu'il soit bien stupide pour ne pas se rendre compte qu'il était le plus beau parti de toute l'Angleterre.

Il avait appris à reconnaître les signaux d'alarme, avant même d'avoir à affronter le danger, et il était passé maître dans l'art d'éviter les pièges que lui tendaient les mères ambitieuses.

Fiona lui avait paru amusante, pleine d'esprit et très sûre d'elle, mais d'une façon qui lui plaisait. En fait, ces deux êtres appartenaient à la même race.

Quand il était devenu son prétendant officiel, il avait dû se forcer, ce qui n'était pas dans ses habitudes, pour dominer la situation comme il avait coutume de le faire.

Elle était accommodante, facile à vivre et, comme l'avait remarqué un de leurs amis, « ils parlaient le même langage ». Il trouva donc facile et agréable de jouir d'une situation qu'il était certain de pouvoir garder sous contrôle. Et il avait laissé Fiona jouer un rôle important dans sa vie.

A Londres, ils se voyaient presque tous les jours. Ils étaient invités aux mêmes réceptions, et, s'il en organisait une lui-même, c'était elle qui tenait le rôle de maîtresse de maison.

Quand il se rendait à sa maison de campagne, cela se passait de la même manière. L'ayant aidé à établir la liste des invités, Fiona, tout naturellement, l'accompagnait.

Elle faisait en sorte que tout se passât le mieux du monde pendant leur séjour d'un week-end ou d'une semaine.

Il avait à peine remarqué le moment où elle avait changé de chambre pour en prendre une voisine de la sienne parce que, avait-elle dit, « c'était plus pratique ».

Le duc considérait donc comme convenu qu'ils dîneraient ensemble à son retour de Hollande. Mais, était-ce un oubli, ou bien, pour une fois, s'était-il montré un peu plus circonspect? Toujours est-il que dans son télégramme, il avait oublié de demander à son secrétaire de prévenir lady Faversham qu'il rentrerait plus tôt que prévu.

Il descendit dîner tout en pensant que, dans cette grande salle à manger, il lui aurait été agréable d'avoir Fiona à ses côtés.

Elle lui aurait raconté tout ce qui s'était passé pendant son absence.

Il savait qu'elle l'aurait fait avec humour et qu'elle l'aurait mis au courant de tous les potins : qui le prince de Galles courtisait-il... quels couples s'étaient disputés... Et, bien sûr, quelles nouvelles affaires de cœur s'étaient nouées chez leurs amis intimes.

Le duc n'avait pas l'habitude de dîner seul.

Comme le silence était quelque peu oppressant, il engagea la conversation avec son valet de chambre qui servait le repas aidé par deux valets de pied.

Redding, à son service depuis de nombreuses années, était en contact étroit avec les domestiques de Moor Park.

Le duc apprit donc quelles étaient les prévisions de tableau de chasse pour la battue organisée à l'occasion du prochain *Boxing Day*, le lendemain de Noël.

Il apprit aussi que les chasses à courre s'étaient bien passées pendant son absence.

– Nous avons eu une excellente chasse, samedi dernier, Monsieur le Duc, dit Redding, et l'hallali a été donné juste avant d'atteindre l'étang.

Le duc savait exactement où cela se trouvait et regretta de ne pas y avoir participé.

Sachant qu'il ne buvait jamais de porto, Redding posa un petit verre de cognac à côté de lui.

– Qu'y a-t-il d'autre pour votre service, Monsieur le Duc? s'enquit-il respectueusement.

– Veillez à ce qu'on me réveille de bonne heure demain matin. Je dois prendre connaissance de tout mon courrier.

– Très bien, Monsieur le Duc.

Redding s'inclina et sortit de la salle à manger.

Le duc se cala dans son fauteuil et dégusta son cognac à petites gorgées.

Ce faisant, il se reprit à souhaiter que Fiona fût avec lui.

« Je la verrai demain », se dit-il.

A Rotterdam, il avait eu le temps de lui acheter un superbe et coûteux cadeau.

Il avait l'intention de lui offrir pour Noël, mais à présent il pensait qu'il pourrait aussi bien lui remettre sans plus attendre.

Il ne restait qu'un peu plus d'une semaine avant Noël.

Il se souvint alors qu'en plus de la chasse, il avait autre chose à préparer à Moor Park.

Depuis longtemps, il avait décidé de faire reconstruire le théâtre privé qui datait du XVIIIe siècle et avait été détruit lors d'un incendie sous le règne de Guillaume IV.

Les ancêtres du duc étaient doués de talents multiples et de qualités hors du commun, mais aucun d'eux n'avait éprouvé le besoin de s'exprimer par la musique ou par l'écriture. Pourtant, de façon tout à fait inattendue, le duc s'était découvert un talent dans ces deux disciplines.

Lorsqu'il se rendait au spectacle, tandis que les hommes de sa génération s'intéressaient aux comédiennes, lui s'intéressait au texte et à la musique de la pièce. Et il pensait souvent qu'il aurait pu faire mieux.

A la grande surprise de ses parents et amis, il avait commencé à faire reconstruire le petit théâtre à Moor Park, avec l'intention de lui rendre son état d'origine.

Par bonheur, il avait eu la chance de retrouver les plans de l'époque. Ceux-ci avaient été conçus par des architectes de talent chargés de réaménager la maison elle-même.

Ils avaient transformé le bâtiment existant, confus mélange de rajouts construits par des générations successives, en une magnifique demeure citée comme un modèle d'architecture.

La façade qu'ils avaient dessinée était de style georgien, mais ils avaient eu l'intelligence de conserver telles quelles un grand nombre de pièces. Parmi celles-ci se trouvait la chapelle.

On n'avait heureusement rien bâti sur l'ancien emplacement du théâtre.

Ayant retrouvé les plans d'origine, le duc avait veillé à ce qu'ils fussent suivis avec exactitude. Les travaux étaient presque terminés la dernière fois qu'il était allé à Moor Park. S'il retournait chez lui à la fin de la semaine, il les verrait achevés.

Cette reconstruction lui procurait tant de plaisir qu'il en avait parlé au prince de Galles. Celui-ci lui avait dit :

« Mon cher Sheldon, il faut que vous m'invitiez à votre soirée d'inauguration. »

Puis, après un instant de réflexion, il avait ajouté :

« Nous passerons Noël à Sandrigham *. Si je ne me trompe, le jour de Noël tombe un mercredi cette année. Je viendrai donc à Moor Park avec la princesse le vendredi suivant, et vous pourrez donner votre soirée d'inauguration le samedi soir.

– Rien ne pourrait me faire plus plaisir, avait répondu le duc, et je m'efforcerai de vous offrir un spectacle plein d'originalité.

– Et de beauté aussi, bien sûr ! » avait ajouté le prince.

Cela allait de soi, pensa le duc, étant donné l'intérêt que portait le prince à toutes les jolies femmes. Il aimait également le théâtre et l'avait

* Une des résidences royales dans le nord de l'Angleterre.

prouvé lorsqu'il avait fait la cour à Lily Langtry *. Cette idylle avait valu à l'actrice une renommée qu'elle n'aurait jamais acquise sans cela.

Le duc pensa qu'il ne lui restait que deux semaines pour organiser, comme il l'avait promis au prince, « un spectacle exceptionnel ».

Le côté « beauté » de l'affaire ne devait pas poser de problème, si ce n'est que la princesse Alexandra serait présente. Ce qui signifiait que la distribution ne pourrait pas comporter les danseuses de ballet de Covent Garden ou les « beautés » incontestables de Drury Lane **.

Si le prince était venu seul, il aurait été très facile de loger ces demoiselles au château. Et, après le spectacle, elles auraient distrait les invités de la façon dont elles étaient censées le faire.

Comme toute son attention avait été requise par la réfection du bâtiment, le duc n'avait pas eu le temps, depuis sa conversation avec le prince, de songer à la distribution des rôles pour la soirée d'inauguration.

« Maintenant, pensa-t-il, je dois m'en préoccuper, et naturellement Fiona va m'aider. »

Il se rappela que, lorsqu'il avait fait allusion à cette soirée, elle avait prétendu, de façon assez inattendue, qu'elle avait une très jolie voix.

« Il faudrait, avait-elle ajouté, que vous écriviez un rôle qui me permettrait de chanter pour vous. »

* Fameuse comédienne anglaise de la fin du XIXᵉ siècle.
** Les plus célèbres théâtres de Londres.

Pour répondre à ses questions, elle lui avait expliqué :

« Quand j'étais petite, nous avions l'habitude de jouer une pièce de théâtre en l'honneur de Papa, pour Noël et pour son anniversaire.

– Aviez-vous un théâtre privé ? avait demandé le duc.

– Non, nous jouions dans la salle de bal où le menuisier du domaine fixait un rideau et une toile de fond en guise de décor. »

Elle avait souri avant de continuer :

« Ce serait passionnant de chanter dans un vrai théâtre, sous les feux de la rampe. »

Elle l'avait regardé d'un air malicieux puis avait ajouté :

« J'ai toujours pensé que si je n'avais pas été qui je suis, j'aurais pu avoir beaucoup de succès sur les planches.

– J'en suis certain, vous êtes si belle ! avait répondu le duc, sachant que c'était ce qu'elle attendait de lui.

– Je suis sûre que j'aurais pu être une nouvelle madame Siddons et, au lieu de jouer seulement pour vous, mon cher Sheldon, j'aurais pu jouer devant une salle comble à Drury Lane ! »

Le duc, fort de son expérience avec des comédiennes et des danseuses au cours de quelques brèves aventures, avait répliqué avec une pointe d'ironie :

« Je crois que vous auriez trouvé cela quelque peu pénible ! »

23

Il savait parfaitement que l'envers du décor était souvent beaucoup moins brillant que ce qu'on voyait sur la scène.

A présent, il n'avait plus le temps d'écrire quelque chose pour Fiona.

Il allait faire appel à des professionnels. A des musiciens et des chanteurs célèbres qui plairaient à la princesse Alexandra.

Quant au prince, le duc connaissait exactement ses goûts. Mais il serait impossible de les satisfaire au cours de ce qui s'annonçait comme une soirée familiale. En effet, il n'était pas question que sa grand-mère, qui avait plus de soixante-dix ans, n'assistât pas à la représentation.

Si les membres de la famille venus à Moor Park pour fêter Noël restaient pour le spectacle, ce qui était plus que probable, il y aurait là un grand nombre de parents et d'amis qui auraient tous l'œil extrêmement critique. Et ils seraient choqués par tout ce qu'ils considéreraient comme vulgaire ou de mauvais goût.

Le duc commençait à prendre conscience que cette soirée était plus compliquée à organiser qu'il ne l'avait imaginé.

« Il faut que j'en parle à Fiona », pensa-t-il.

Il était sûr qu'elle trouverait une solution. Sinon, elle saurait exactement à qui s'adresser pour régler les problèmes.

Jusque-là, le duc ne s'était pas vraiment rendu compte de l'importance qu'elle avait prise dans sa vie.

Maintenant, en y réfléchissant, il voyait bien qu'elle s'était petit à petit rendue indispensable pour parvenir à ses fins.

Ayant fini son cognac, il se leva et une pensée lui traversa l'esprit : après tout, il serait peut-être aussi bien qu'il épousât Fiona. Ainsi, il serait débarrassé de ce souci.

Elle était prête à assumer l'organisation matérielle de la maison. Il pourrait, quant à lui, se consacrer entièrement à la gestion du domaine. Il s'occuperait des chevaux, des faisans, des fermes, du cheptel. Et des nombreux serviteurs dont il se sentait responsable, car leurs familles étaient au service de la sienne depuis plusieurs générations.

Il sortit de la salle à manger.

En se dirigeant vers son bureau, il eut tout à coup une idée : dans sa chambre, à l'étage, se trouvait le cadeau qu'il avait acheté pour Fiona et il n'y avait pas de raison pour qu'il ne lui portât pas tout de suite.

Elle serait probablement étonnée de le voir, mais certainement enchantée.

C'est ce qu'elle déclarait en tout cas dans la lettre qu'il avait lue avant de prendre son bain.

Elle lui avait écrit :

Il me tarde d'être jeudi. Hier soir, j'étais invitée à un dîner très ennuyeux chez les Burchington qui se sont disputés comme d'habitude. Je n'ai pas de projets pour

25

demain soir, je resterai à compter les heures en attendant de vous revoir.

Ma joie de vous retrouver sera immense car il me semble qu'il y a un siècle que vous êtes parti en Hollande.

J'ai besoin d'être près de vous, je veux vous entendre me dire que je vous ai manqué et j'ai besoin, mon bel amour, de ce que je ne peux pas décemment écrire ici.

Suivait sa signature enjolivée d'une arabesque.

Le duc comprenait ce qu'elle voulait dire, mais il se demanda s'il n'était pas trop fatigué.

Puis il s'étonna de penser une chose pareille à son âge. La moitié des hommes à Londres se seraient fait couper un bras pour devenir l'amant de Fiona.

Il monta chercher le bracelet qu'il avait acheté pour elle à Amsterdam.

Un proche de la reine lui avait indiqué la plus prestigieuse bijouterie de la ville.

Le joaillier avait présenté au duc un bracelet serti de superbes diamants. Puis il lui avait montré une bague qu'il vendait pour le compte d'un de ses clients. C'était un solitaire taillé en forme de cœur.

« C'est une pierre d'une pureté exceptionnelle, Monsieur le Duc, avait dit le marchand, et vous n'en trouverez jamais une aussi belle. »

En la tournant et la retournant pour la faire miroiter dans la lumière, le duc avait bien vu que c'était vrai.

Cette bague en forme de cœur ferait une parfaite bague de fiançailles pour sa future femme lorsqu'il déciderait de se marier.

Sa famille possédait également une superbe collection de joyaux anciens.

Quand sa mère, parée de ses bijoux, faisait son entrée à la séance d'ouverture du Parlement, elle était toujours la plus éblouissante des duchesses.

Aujourd'hui, la plupart de ces merveilles étaient enfermées dans un coffre en attendant qu'il se marie.

Il existait, il le savait, plusieurs bagues de fiançailles qui s'étaient transmises de génération en génération. Cependant, il lui semblait important d'offrir à sa fiancée une bague choisie tout spécialement pour elle, en dehors de la collection des bijoux de famille. C'est pourquoi le duc avait en définitive acheté à la fois le bracelet et la bague.

C'étaient des bijoux très coûteux, mais il savait, comme le lui avait affirmé l'écuyer de la reine, qu'il avait fait là un « excellent placement ».

Il mit le bracelet dans sa poche et laissa la bague dans le tiroir.

S'il demandait Fiona en mariage, il serait toujours temps de la lui offrir.

En fait, il n'était pas encore complètement décidé. Sans raison d'ailleurs, si ce n'est la trop grande ardeur avec laquelle elle le harcelait.

Il avait le sentiment d'être le jouet d'une machination dont il voyait cependant toutes les ficelles.

Ce qu'il attendait de sa femme, il ne le savait pas exactement, sinon bien sûr qu'il la voulait très belle. Toutes les duchesses de Moorminster l'avaient été.

Et, naturellement, il fallait que les quartiers de noblesse de sa future femme remontent aussi loin que les siens.

Cette condition était parfaitement remplie car le père de Fiona possédait un duché plus ancien que le sien.

Il fallait aussi quelqu'un qui l'attirât physiquement.

De plus, sa future femme devait être capable de tenir son rang aussi bien que sa propre mère l'avait toujours tenu.

Il se revit petit garçon, dans la galerie de musique, regardant par le trou de serrure pour observer un dîner donné dans la salle de banquets.

Il avait trouvé que son père, à l'une des extrémités de la table, avait l'air d'un roi.

Et sa mère, assise en face de lui à l'autre extrémité de la table, ressemblait à une princesse de conte de fées. A chacun de ses gestes, une gerbe de scintillements éclatait autour d'elle et il l'avait trouvée, sans conteste, la plus belle femme de ce dîner.

Fiona serait certainement à la hauteur de la situation.

L'idée lui traversa l'esprit qu'elle ne serait peut-être pas aimée autant que sa mère l'avait été. Celle-ci, en effet, était encore adorée par les vieux serviteurs du domaine.

« La duchesse, c'est un ange qui nous est tombé du ciel », se rappelait-il avoir entendu dire par un ancien domestique à la retraite.

A l'époque, il n'était qu'un tout petit garçon, mais c'était une phrase qu'il n'avait jamais oubliée.

Fiona était loin d'être un ange!

A vrai dire, au cours de leurs fougueux rendez-vous amoureux, elle aurait plutôt ressemblé à une créature du démon.

Cette pensée un peu désobligeante le fit sourire. Une étincelle apparut dans son regard.

Il désirait Fiona, il la désirait sur-le-champ, et elle demeurait tout près, juste au coin de la rue.

Pour la rejoindre, il n'avait qu'à braver les éléments pendant quelques minutes.

Quand il arriva dans le hall, un valet l'aida à enfiler sa pelisse doublée de zibeline et garnie d'un col d'astrakan.

Un autre valet lui tendit son chapeau et ses gants.

Un troisième lui donna sa canne.

– Êtes-vous sûr, Monsieur le Duc, de ne pas avoir besoin d'une voiture? lui demanda respectueusement son valet de chambre.

– Non, merci, Redding, je ne vais pas loin, répondit le duc.

Le valet de chambre avait dans le regard une lueur de connivence indiquant clairement qu'il devinait où se rendait son maître, mais le duc ne le remarqua pas.

Après qu'on lui eut ouvert la porte, le duc descendit prudemment les marches du perron, craignant que le gel ne les eût rendues glissantes.

Il pensa que la nuit allait certainement être très froide.

En effet, il commençait à geler.

Le duc marcha à grands pas rapides et remercia le ciel qu'il n'y eût pas de vent.

Quelques attelages traversaient la place.

Dans la maison voisine, on avait manifestement donné un dîner car les invités étaient en train de prendre congé.

Le duc passa rapidement, de peur qu'on ne le reconnût. Puis il tourna dans Carlos Place.

Fiona possédait une jolie maison sur le côté gauche de cette place.

Le duc connaissait si bien cette maison qu'il aurait pu, pensa-t-il, trouver son chemin les yeux fermés.

Tout en montant les marches du perron, il chercha la clé de l'entrée qu'il avait prise dans un tiroir de sa chambre.

Il détenait cette clé car il avait toujours été inflexible sur un point : il n'avait jamais permis à Fiona de venir la nuit toute seule chez lui à Grosvenor Square.

Elle n'y dînait pas sans être accompagnée d'un chaperon et il ne la retenait pas après le départ des autres invités.

« Comment pouvez-vous être aussi guindé? disait-elle en le taquinant.

– Je protège votre réputation, avait répondu le duc, car, comme vous le savez, les domestiques ont tendance à jaser. »

Elle avait haussé les épaules en un geste gracieux.

« Est-ce que cela nous importe vraiment?

– Je pense que oui », avait-il répondu calmement.

Cela l'avait un peu irritée.

Par contre, il ne voyait aucune objection à aller chez elle, aussi lui avait-elle donné la clé de la porte d'entrée.

« Je n'ai pas, moi, de valet de pied qui épie toutes mes allées et venues », avait-elle dit.

Donc, quand ils étaient à Londres, c'est le duc qui allait chez elle.

Lorsqu'il était retenu au palais ou qu'il dînait avec le prince de Galles, il pouvait arriver très tard. Elle l'attendait toujours dans sa chambre.

Elle était ravissante avec ses cheveux roux qui lui tombaient sur les épaules et sa peau d'une transparence de perle.

D'une façon ou d'une autre, elle avait l'habitude de lui faire une surprise. Un jour, elle l'avait accueilli avec un collier de perles noires autour du cou, et rien d'autre.

Une autre fois, c'était un collier d'émeraudes, cependant qu'une fine ceinture, faite des mêmes pierres, entourait sa taille mince.

« Ce soir, pensa le duc, elle ne m'attend pas. »

Il aurait donc le plaisir d'entendre ses cris de joie.

Il l'imaginait déjà sautant de son lit et se précipitant dans ses bras.

Il introduisit la clé dans la serrure et pénétra dans le hall plongé dans l'obscurité.

Il était près de minuit et Fiona s'était certainement couchée de bonne heure pour être en forme le lendemain soir.

Quand les étoiles commenceraient à pâlir, il se dépêcherait de rentrer chez lui et de se recoucher dans sa propre chambre. Ce serait vers six heures du matin, à l'heure où les femmes de chambre coiffées de leur bonnet et les valets en bras de chemise commenceraient à faire le ménage.

Il enleva son manteau et le posa sur une chaise dont il connaissait l'emplacement sans même le chercher. Puis il ôta son chapeau et ses gants.

Grâce à la faible lumière qui venait de l'imposte au-dessus de la porte, il put trouver la rampe de l'escalier.

Il gravit sans bruit les marches couvertes d'un épais tapis, passa sans s'arrêter devant le salon qui s'étendait sur tout le premier étage et monta jusqu'au deuxième étage où se trouvait la chambre à coucher de Fiona.

Puis il s'arrêta un instant avant de mettre la main sur la poignée de la porte.

A ce moment-là, il se raidit, immobile.

Il entendait quelqu'un parler dans la chambre, et la voix était celle d'un homme.

Pendant un instant, le duc crut avoir mal entendu.

Ou s'être trompé de maison.

Lorsqu'il eut reconnu cette voix, il s'arrêta, comme pétrifié.

CHAPITRE II

La voix de l'homme qui se trouvait dans la chambre de Fiona Faversham était celle de son cousin germain, Jocelyn Moore.

Sheldon, qui n'éprouvait aucune sympathie pour son proche parent, avait appris récemment que Jocelyn avait tenté d'emprunter de l'argent en se targuant d'être l'héritier présomptif du titre. Mais, comme ses chances de devenir le troisième duc de Moorminster n'étaient qu'une lointaine éventualité, il s'était fait éconduire de façon humiliante.

L'histoire avait fait le tour des salons et était parvenue aux oreilles du duc.

Il était évident qu'une fois de plus Jocelyn Moor s'était couvert de dettes et qu'il allait bientôt demander à nouveau de l'aide à son riche cousin Sheldon afin d'empêcher le scandale de rejaillir inévitablement sur la famille et sur l'héritier du titre.

Le duc ne s'était pas trompé.

La dernière fois, il avait sermonné très sévèrement son cousin en lui faisant remarquer qu'il avait déjà eu plus que sa part de l'argent familial.

Jocelyn était sorti furieux de cet entretien.

Le duc pensa qu'il cherchait sans doute à se venger en séduisant Fiona.

Jocelyn Moore avait un point commun avec Eric Faversham, celui de ne pas savoir résister à un joli visage. Et ses aventures étaient si nombreuses qu'elles avaient depuis longtemps cessé de choquer la famille.

Grand et beau comme tous les Moore, il était doté d'un charme étrange que les hommes détestaient mais que les femmes trouvaient irrésistible.

La première réaction du duc fut de faire irruption dans la chambre et d'affronter Jocelyn et Fiona.

Puis il se raisonna et se dit que cette attitude manquerait de dignité.

Il ne devait pas oublier non plus qu'il n'avait aucun droit sur Fiona puisqu'il ne l'avait pas encore demandée en mariage. Qu'il ait envisagé cette éventualité n'avait rien à voir avec la demande en bonne et due forme dont elle rêvait.

Elle lui manifestait son amour avec tant de flamme qu'il avait été assez stupide pour imaginer qu'elle lui était fidèle. Tout au moins depuis qu'il était son amant.

Il pensa alors avec cynisme que Jocelyn n'était peut-être pas le premier homme qu'elle invitait à partager son lit en son absence.

Comme il se tenait là, immobile, hésitant sur

la conduite à tenir, il entendit de nouveau la voix de Jocelyn :

— Tu es charmante, Fiona, lui disait-il d'une voix caressante, et tu seras sans nul doute la plus belle duchesse de Moorminster qui ait jamais figuré dans la galerie des portraits.

— C'est bien mon intention, répondit Fiona, mais, tu sais à quel point il est difficile d'obtenir que Sheldon se décide à parler mariage.

— Sacrebleu! jura Jocelyn, il a le devoir de te rendre ton honorabilité après t'avoir compromise comme il l'a fait devant tout Londres.

— Peut-être pourrais-tu lui en toucher un mot? dit Fiona d'un ton moqueur.

— Tu sais bien qu'il ne m'écouterait pas! Je vais déjà devoir ramper devant lui pour qu'il paye mes dettes!

— Oh! Jocelyn, est-ce que les choses vont de nouveau aussi mal que cela?

— Pire encore! Mais Sheldon sera obligé de payer. Sinon, cela provoquera un énorme scandale et il ne le supportera pas.

— Tu sais bien, mon cher Jocelyn, que je t'aiderais bien volontiers si je le pouvais. Quand j'aurai épousé Sheldon, je ferai en sorte qu'il soit plus généreux.

Le duc serra les poings en songeant aux sommes considérables qu'il avait déjà données à son cousin et que celui-ci avait dilapidées en compagnie des actrices, des prostituées et des voyous qui étaient de ses amis. Qu'on lui reproche son manque de générosité était inadmissible.

Il s'était déjà trouvé dans l'obligation de réduire le train de vie du domaine, tout simplement parce qu'il avait dû donner à Jocelyn des sommes énormes normalement destinées à régler les gages d'employés indispensables à la bonne marche de la propriété.

Il entendit alors Fiona dire :

— Ne parlons pas de choses aussi déprimantes que l'argent quand nous sommes si près l'un de l'autre.

— Tu as raison, acquiesça Jocelyn. Il n'existe pas de femme plus douce, plus adorable et plus follement excitante que toi!

Il y eut un silence et le duc devina qu'ils s'embrassaient.

Doucement, prudemment, de façon à ne pas faire le moindre bruit, il descendit l'escalier et se retrouva dans le hall.

Il mit son manteau, prit ses gants et son chapeau et sortit dans la nuit.

En rentrant chez lui, bouillant de colère, il lui semblait que tout son corps n'était qu'un brasier.

Pour être honnête, il savait bien que ce n'était pas uniquement parce que Fiona le trompait. Ce qui le mettait surtout hors de lui, c'est qu'elle ait justement choisi Jocelyn parmi tous ses soupirants.

Il lui avait, bien sûr, depuis longtemps

raconté la vie de débauche que menait Jocelyn, et elle s'en était attristée avec lui.

Il savait pourtant qu'à ce moment-là elle pensait que la façon de résoudre ce problème était très simple : si le duc se mariait et avait un héritier, Jocelyn ne pourrait plus exercer de chantage sur lui.

Car c'est bien ce qu'il faisait lorsqu'il lui demandait de calmer ses créanciers. En effet, le duc ne pouvait tolérer que son héritier présomptif soit criblé de dettes.

Arrivé chez lui, Sheldon ouvrit la porte d'entrée et, à cet instant, il sut définitivement, sans même peser le pour et le contre, qu'il n'épouserait jamais Fiona.

Le valet de pied, manifestement surpris de le voir rentrer si tôt, prit son manteau.

Le duc monta dans sa chambre.

Il sonna son valet, se déshabilla sans dire un mot et se mit au lit.

Une fois seul, il resta étendu dans le noir, sans dormir. Il avait l'impression que le ciel venait de lui tomber brutalement sur la tête.

Pourtant, il n'était pas vraiment affecté par le fait que Fiona eût un amant.

« Après tout, se disait-il en se raisonnant, c'est son droit le plus strict. Rien ne nous lie l'un à l'autre. »

Cependant, il s'était laissé berner par ses protestations d'amour continuelles.

Elle lui avait assuré maintes et maintes fois

qu'il était le seul homme de sa vie. Elle lui répétait sans cesse que jamais elle n'avait connu un tel plaisir avec un autre homme.

Il l'avait crue, bien sûr. Parce qu'il avait envie de la croire.

Et il était vrai aussi que de nombreuses femmes lui avaient tenu le même langage.

Maintenant, il se rendait compte à quel point il avait été stupide de prendre ces déclarations pour argent comptant.

Le mari de Fiona avait été un débauché et un coureur de jupons, et Jocelyn était de la même trempe.

Avec de telles fréquentations, comment avait-il pu la croire aussi naïve et innocente qu'elle prétendait l'être?

Le duc était un homme intelligent, il en était conscient et en tirait même une certaine fierté.

Il s'était rendu indispensable à la reine et pas simplement à cause de son titre ou de son charme. Tout le monde savait que la reine Victoria était sensible aux beaux hommes et il était probable qu'au fond de son cœur, elle eût un petit faible pour lui.

Mais elle appréciait également son intelligence. Elle avait souvent admiré la manière avec laquelle, en cas de besoin, le duc parvenait à influencer les diplomates étrangers et à leur faire admettre le bien-fondé des idées de la reine. Et lord Beaconfield, du temps où il était Premier ministre, montrait la même estime pour cette faculté.

« Je peux vous faire confiance, avait-il dit un jour, vous arrivez toujours à vos fins qui sont en tous points en accord avec les miennes et je vous en suis très reconnaissant. »

Le duc se savait également doué d'une intuition très sûre pour découvrir la vérité. Et il prenait toujours toutes les précautions pour ne se laisser berner en aucune façon.

Et cependant, Fiona avait réussi à le tromper.

Il songea qu'il s'était comporté comme l'idiot du village.

La question qui se posait maintenant était de savoir ce qu'il allait décider. D'abord, il n'avait nullement l'intention de laisser Fiona et Jocelyn soupçonner un seul instant qu'il était entré dans la maison et qu'il avait écouté à la porte de la chambre.

Écouter aux portes était un comportement de domestique. Cela manquait de dignité et l'avouer le rendrait encore plus ridicule.

Après plusieurs heures passées sans dormir, sa décision fut prise :

Premièrement, jamais Fiona ni Jocelyn ne devraient savoir que leur conduite avait été découverte.

Deuxièmement, il s'arrangerait pour que Fiona sorte tout doucement de sa vie.

Il allait faire cela subtilement.

Elle ne pourrait ni se plaindre de sa cruauté, ni donner aux mauvaises langues de Mayfair de quoi alimenter les potins. Cependant, il ne savait pas encore comment il allait s'y prendre.

En tout cas, il y avait une chose dont il était certain : il ne supporterait pas de la voir le lendemain soir comme prévu.

S'ils dînaient ensemble, elle aurait envie de le consoler des nuits qu'il avait passées sans elle et il se retrouverait dans le lit occupé en ce moment même par Jocelyn.

Cette simple pensée le révulsait. Il fallait éviter cela à tout prix.

Finalement, il sombra dans le sommeil après s'être rappelé qu'il avait demandé d'être réveillé à sept heures du matin.

Redding entra dans la chambre.

Aussitôt, le duc lui demanda de prévenir son secrétaire qu'il partait pour la campagne.

— A Moor Park, M'sieur l' Duc! s'exclama le valet de chambre, étonné.

— Préparez ma valise avec tout ce dont je peux avoir besoin. Nous partirons à dix heures.

Entre-temps, il s'habilla et retrouva M. Watson au rez-de-chaussée.

— Bonjour, Monsieur le Duc! On me dit, Monsieur le Duc, que vous avez l'intention de partir sur vos terres.

— C'est vrai, je viens de le décider, répondit-il en se dirigeant vers la pièce réservée au petit déjeuner.

— Je viens d'envoyer là-bas mon assistant pour prévenir le personnel de Moor Park de votre arrivée, Monsieur le Duc, mais naturellement, je n'ai pas pu dire s'il y aurait des invités.

– J'y vais seul.

Puis, remarquant l'air étonné de M. Watson, il ajouta après un instant :

– Je veux voir mon théâtre. Comme vous le savez, nous n'avons pas encore choisi les acteurs qui se produiront devant Leurs Altesses Royales, lors de la soirée d'inauguration.

– Puis, je me permettre d'informer Monsieur le Duc que j'ai fait une liste des plus éminents chanteurs et chanteuses disponibles en ce moment. Il paraît qu'il existe également un prestidigitateur absolument remarquable.

Le duc ne répondit pas. Il accordait toute son attention au maître d'hôtel qui, secondé par deux valets, lui présentait les plats gardés au chaud sur une desserte.

M. Watson se dirigea vers la porte.

– Je vous rejoindrai dans le bureau quand j'aurai fini de déjeuner, dit le duc. En attendant, préparez vos affaires, monsieur Watson, j'aurai besoin de vous à Moor Park.

Ces paroles surprirent le secrétaire qui accompagnait rarement le duc au château quand il y avait des invités.

Normalement, le duc n'avait pas besoin de lui à Moor Park où il tentait de se libérer totalement des multiples responsabilités qui le submergeaient à Londres. Il avait de nombreuses obligations aux palais de Buckingham et de

Windsor. En plus, il devait répondre aux exigences, parfois officielles et plus souvent amicales, du prince de Galles.

Sa présence était aussi fréquemment réclamée par le Premier ministre. Et certains cabinets lui demandaient très souvent de participer à des conférences ou à des missions. En particulier celles qui concernaient le ministère des Affaires étrangères. Car, au cours des dernières années, le duc avait passé beaucoup de temps en dehors de l'Angleterre. Non seulement en Europe et en Russie, mais également en Amérique et en Afrique.

Partout il s'était montré d'une efficacité remarquable et avait apporté une aide inestimable aux ministres qui pouvaient lui faire une totale confiance et se fier entièrement à ses rapports sans jamais avoir à vérifier sur place la situation.

Le duc se rendit dans son bureau où l'attendait M. Watson.

A côté de la pile d'invitations mondaines, il y en avait une autre pour les réceptions diplomatiques.

Le duc soupçonna qu'il y en avait une troisième pour les invitations politiques.

Il s'assit à son bureau et d'un geste de la main les balaya toutes en disant :

– Vous emporterez tout cela avec vous. Y a-t-il quelque chose d'urgent qui nécessiterait une réponse avant notre départ?

– Il y a une lettre de Son Altesse Royale le prince de Galles, qui vous invite à dîner demain soir à Malborough House et qui demande s'il serait possible de vous voir seul demain matin, répondit M. Watson.

– Envoyez un mot au prince pour lui dire que je suis parti à la campagne régler une affaire urgente concernant mon domaine.

Il s'arrêta un instant puis continua :

– Naturellement, je prendrai contact avec lui dès mon retour.

M. Watson prit en note ce que le duc avait ordonné. Puis il profita d'un moment de silence pour faire remarquer d'une voix hésitante :

– Je croyais que Monsieur le Duc devait dîner avec lady Faversham ce soir.

– Ah oui ! Bien sûr ! dit le duc, comme si le souvenir lui en revenait à l'instant. Envoyez le même message à Madame la Duchesse. Et que tous ces billets soient portés en fin de soirée à l'heure où je serais censé revenir de Hollande.

– Très bien, Monsieur le Duc.

M. Watson quitta rapidement la pièce.

Le duc se cala dans son fauteuil, un sourire un peu narquois au coin des lèvres.

Il se doutait que Fiona serait surprise et peut-être même contrariée. Non seulement parce qu'il serait parti à la campagne sans l'avoir vue. Mais surtout parce qu'il ne lui aurait pas écrit de sa propre main.

Il avait donné le coup d'envoi des hostilités

qu'ils allaient inévitablement engager l'un contre l'autre.

Il savait bien qu'elle se battrait comme une tigresse pour le garder. Elle deviendrait enragée en constatant qu'il s'éloignait d'elle.

Il s'attendait aux crises de larmes et aux récriminations habituelles dans ce genre de situation. Plusieurs de ses *affaires de cœur* s'étaient terminées ainsi. Mais alors, il n'avait jamais été question de mariage.

Le cas de Fiona était donc quelque peu différent.

Il s'attendait aussi à ce qu'elle prévienne Jocelyn qui avait l'intention de lui rendre visite le lendemain. Il ne connaissait que trop sa façon de faire.

Comme l'avait dit Jocelyn la veille au soir, il lui demanderait de l'argent avec des arguments à fendre le cœur.

Si Sheldon lui refusait, il entreprendrait l'habituel semi-chantage, en lui faisant remarquer les risques de déshonneur pour la famille. Il mettrait l'accent sur l'embarras extrême que leur famille éprouverait si cette situation navrante s'étalait dans les journaux. Là, il toucherait juste.

La presse n'hésiterait pas, le duc le savait bien, à mettre l'accent sur la différence de situation qui existait entre l'un des plus riches ducs d'Angleterre et son infortuné héritier présomptif.

Le visage crispé de colère, Sheldon abattit son poing fermé sur le bureau, si violemment qu'il fit trembler les encriers.

« Maudit soit-il! Je vais être obligé de payer et il le sait bien. »

Il essaya de se calmer en se disant que, puisqu'il n'y pouvait rien, il ne devait pas se tourmenter pour la mauvaise conduite de Jocelyn.

Cependant, lorsqu'il quitta son bureau, ses sourcils froncés donnaient à son visage une expression soucieuse.

Le temps allait manquer pour faire attacher le wagon privé du duc au train qu'il avait l'intention de prendre. Malgré tout, un courrier l'escorterait à la gare, pour veiller à ce qu'on lui réserve un compartiment et qu'on en verrouille la porte une fois qu'il y serait installé.

M. Watson prendrait place dans le compartiment voisin et les bagages seraient déposés dans le fourgon du chef de train. Le duc en aurait d'ailleurs très peu. Car il avait pour habitude de faire confectionner en double les vêtements qu'il aimait porter, afin d'avoir tout à sa disposition dans les deux demeures où il séjournait le plus souvent. (Il avait également une résidence à Newmarket et une autre dans le comté de Leicester, où il allait moins régulièrement.)

Il y avait donc, en définitive, peu de choses à emporter de Grosvenor Square à Moor Park.

L'essentiel de son bagage était composé, cette fois, des lettres que transportait M. Watson dans une serviette en cuir.

Le courrier venu pour l'escorter acheta tous les journaux du jour et les déposa dans son compartiment réservé.

Le voyage ne serait pas très long. Moor Park était situé non loin de Londres, au nord, dans la plus jolie région du comté d'Oxford. Il fallait moins de trois heures pour y aller par la route. Cependant, en hiver, le duc trouvait plus rapide et dans l'ensemble plus confortable de voyager par le train. Celui-ci s'arrêterait sur demande à sa petite gare privée. Il n'aurait plus alors que trois kilomètres à faire en voiture pour aller jusque chez lui.

Quand le duc descendit du train, un tapis rouge était déroulé sur le quai.

Trois serviteurs étaient là pour l'accueillir. Devant la gare attendait l'attelage qu'il aimait conduire lui-même. Il y avait également un break pour transporter toutes les autres personnes jusqu'au château.

Il salua d'une manière un peu froide ses domestiques, qui sentirent tout de suite que quelque chose n'allait pas.

Puis, le cocher s'étant installé sur le siège arrière pour ne pas déranger son maître, le duc monta dans sa voiture, prit les rênes et partit.

Il menait ses chevaux avec précaution sur les chemins sinueux. Ce faisant, il pensait que c'était la première fois qu'il venait ici sans un groupe d'amis pour le distraire.

A ce moment, il n'avait qu'un désir, celui d'être seul. Le côté austère de tout cela lui plaisait, comme lui plaisaient le froid de l'air sur ses joues et la grisaille du ciel au-dessus de lui.

Il n'était d'humeur à apprécier ni le soleil ni les rires ni les bavardages de jeunes femmes coquettes.

Il voulait rester seul, à « panser ses plaies » avant de passer à l'attaque.

Moor Park était une splendeur.

Quelle que soit la saison, printemps, été, automne ou hiver, la demeure avait toujours la même fière allure. Le bâtiment central flanqué de ses deux ailes était d'une beauté à couper le souffle.

Pour le duc, c'était le côté stable de sa vie, c'était là que se trouvaient ses vraies racines.

Au cours du trajet, tout en conduisant son attelage, il se demanda comment il avait pu envisager que Fiona Faversham pût prendre la place de sa mère, en qualité de duchesse de Moorminster.

Et ce n'était pas uniquement parce qu'elle venait de le décevoir. Il savait maintenant qu'aussi belle qu'elle fût, son caractère et sa personnalité n'auraient pas convenu.

« Si j'avais découvert sa perfidie après l'avoir

épousée, non seulement j'aurais été humilié mais j'aurais entaché toute l'histoire de la famille », pensa-t-il.

Le duc traversa le vieux pont sur le lac, un pont aussi ancien que la maison et qui menait à la porte d'entrée principale.

Le tapis rouge était déjà déroulé.

Les valets étaient à leurs postes pour ouvrir la porte de la voiture et l'aider à descendre. Le majordome se tenait sur le perron.

Tout était comme d'habitude.

Et pourtant, le duc avait l'impression de tout découvrir pour la première fois. Il ne se rendit compte qu'à cet instant combien tout cela était important pour lui.

Il pénétra dans la maison et, parce qu'il avait envie de se changer les idées, il se dirigea immédiatement vers le chantier du théâtre.

Comme il s'y attendait, l'architecte et le décorateur étaient là.

Le duc entra par la porte qui reliait le théâtre à la maison.

Quand il avait retrouvé les plans dessinés par les frères Adam *, il avait également trouvé des recommandations écrites de la main de son ancêtre, le comte de Moor, septième du nom.

Son petit-fils, le neuvième comte, s'était distingué si vaillamment sous les ordres de Wellington qu'il avait été fait marquis. Et c'était le

* Robert et James Adam, célèbres architectes anglais du xviiie siècle, qui ont créé un style dans l'architecture et le mobilier.

50

père de Sheldon qui avait été élevé au rang de duc par la reine Victoria.

Le septième comte avait donné ses instructions aux frères Adam à son retour d'un voyage en Russie où il s'était rendu à l'invitation du tsar. Il s'était déclaré très impressionné par le théâtre royal du Palais d'Hiver et encore plus par l'extraordinaire théâtre privé du prince Ysvolsov. Et il avait réussi à se procurer quelques croquis de la décoration intérieure de ce théâtre.

Les frères Adam s'en étaient donc très habilement inspirés dans leur projet.

La dernière fois que le duc avait vu son théâtre, c'était un mois avant son départ pour la Hollande.

Il était persuadé que l'architecte et le décorateur parviendraient à recréer à Moor Park le charme du théâtre d'origine. Sans exclure toutefois la possibilité que la réalité ne soit pas à la hauteur de ses rêves.

Ils l'attendaient tous deux et le conduisirent au théâtre en passant par la petite porte de communication.

Comme le château était bâti sur un terrain légèrement surélevé par rapport aux fondations du théâtre, le duc se retrouva au niveau des loges du balcon. Un escalier, devant lui, descendait vers ce qui, dans un théâtre, s'appelle le « parterre » ou « l'orchestre ».

Le bâtiment était très petit ; en fait, il ne pouvait guère contenir plus de cent personnes. Il ressemblait à une maison de poupée, un vrai jouet d'enfant, pensa le duc. Et cependant, il avait tout le charme et l'élégance d'un théâtre royal.

A l'orchestre étaient alignés des fauteuils sculptés, peints en blanc et or. Les sièges du balcon étaient recouverts de velours cramoisi. Les deux loges, dont l'une était destinée à la famille royale, étaient garnies du même velours.

L'effet général était d'une grande beauté, de même que le décor du fond.

Derrière la rampe d'éclairage, d'épais rideaux de velours rouge encadraient la scène. Il y avait encore une petite fosse pour l'orchestre et un immense lustre de cristal était suspendu au plafond.

L'architecte et le décorateur avaient les yeux fixés sur le visage du duc pour guetter ses réactions.

Celui-ci regarda tout autour de lui, sans un mot, puis il dit :

– Je vous félicite, tous les deux! C'est exactement ce que je souhaitais, et c'est bien mieux que ce que j'osais espérer.

Il sentit, sans que le moindre mot soit prononcé, combien sa satisfaction leur faisait plaisir.

Après les avoir quittés, il retourna au château pour déjeuner malgré l'heure tardive.

Depuis l'instant où il s'était trouvé derrière la

porte de Fiona, la nuit précédente, c'était la première fois qu'il pensait à autre chose.

Il savait qu'il faudrait se hâter de choisir la
« prima donna » de la soirée à laquelle assiste-
rait le prince de Galles. Et, plus important
encore, de trouver des interprètes pour la saynète qu'il avait commencé à écrire et dans
laquelle il avait imaginé un rôle pour Fiona.

Avant qu'elle ne manifestât son désir de vou-
loir chanter pour lui, il n'avait pas remarqué
qu'elle avait une voix particulièrement belle. A
vrai dire, elle n'avait rien d'exceptionnel, mais
Sheldon savait bien que, grâce à sa beauté,
Fiona n'aurait eu aucune difficulté à charmer
l'assistance. Même si, dans l'ensemble, le public
promettait d'être assez critique.

De nombreux parents, y compris sa grand-
mère, venaient à Moor Park chaque année pour
fêter Noël.

Ils allaient arriver sans être invités, la tradition le voulait ainsi. Une tradition qu'ils avaient
bien l'intention de perpétuer.

Sheldon avait eu l'idée de composer pour
Fiona un air qu'elle chanterait sous les traits
d'un ange. Mais aujourd'hui, il se rendait
compte que le fait de présenter Fiona sous cet
aspect serait une véritable offense à Dieu.

Puis, tout d'un coup, il eut dans la tête les
premières notes d'une mélodie qui, à partir de
cet instant, l'obsédèrent sans relâche.

Il savait que cette rengaine le poursuivrait

jusqu'à ce qu'il la joue au piano et la transcrive sur une partition.

Il espérait bien que Fiona ne serait pas avec lui pour fêter Noël. Mais, si elle venait, placée parmi le public dans les rangs d'orchestre, elle regarderait quelqu'un d'autre jouer le rôle qui à l'origine lui avait été destiné.

« Vous n'oublierez pas la chanson que je dois chanter dans votre théâtre? lui avait-elle demandé la veille de son départ en Hollande. Il me faudra un peu de temps pour répéter, car je sais, Sheldon chéri, combien vous êtes soucieux de perfection.

— Comment pourriez-vous être autrement que parfaite? » avait-il répondu machinalement, sachant bien que c'était la réponse qu'elle attendait de lui.

A présent, il se disait avec aigreur que Fiona était loin d'être parfaite.

« Je trouverai bien quelqu'un d'autre pour jouer ce rôle, cela ne devrait pas être trop difficile », pensa-t-il.

Après le déjeuner, il fit seller son cheval que le chef palefrenier amena devant la porte principale en pronostiquant que la neige n'allait pas tarder à tomber.

— Cela m'étonnerait, répliqua le duc d'un ton brusque.

— Ce s'rait bien d'avoir un Noël blanc. L'an

dernier, si M'sieur l'Duc s'rappelle, y a pas eu d'neige avant Boxing Day.

Le duc se demanda ce que cela prouvait...

Il savait bien que le personnel de Moor Park, comme ses jeunes neveux et nièces, attendait avec impatience de la neige pour Noël. Ils seraient tous très déçus s'ils en étaient privés.

Comme le duc éprouvait le besoin de se changer les idées, il partit galoper dans les champs.

Il se dirigea vers le nord en traversant des bois où il n'était pas allé depuis longtemps.

Il savait qu'il avait des instructions à donner à ses gardes-chasses. Mais pour l'instant il voulait seulement être seul et libre de toute contrainte. Et surtout oublier un moment ses propres sentiments.

Il continua sa course à cheval sans s'arrêter, jusqu'au moment où il se rendit compte qu'il faisait très froid et que la nuit allait tomber.

C'est à ce moment-là qu'il aperçut devant lui un petit village où il n'était pas allé depuis plusieurs années et dont il ne se rappelait que le nom : « Little Bedlington ».

Ce village était composé de quelques petites maisons à toit de chaume, d'une vieille auberge et de ce qui ressemblait à une église romane. Il en restait quelques-unes dans le pays.

Cela lui fit penser que la plupart des églises sur ses terres étaient en mauvais état et avaient continuellement besoin d'urgentes réparations.

Il traversa le village à cheval et remarqua que les toits de chaume semblaient bien entretenus.

Les barrières et les portails reflétaient la même impression de bon entretien.

Les quelques enfants qu'il croisa avaient les joues roses et paraissaient bien nourris.

Il s'apprêtait à faire demi-tour et à rentrer chez lui le plus vite possible quand il entendit une musique s'élever de l'église.

Pendant un instant, il se demanda pour quelle raison on jouait de l'orgue un jour de semaine.

Puis, comme il faisait avancer son cheval pour se rapprocher, il remarqua que la personne qui jouait avait beaucoup de talent.

Il ne savait que trop combien certains organistes pouvaient avoir les mains lourdes. Or, ce qu'il entendait là était une interprétation exceptionnellement réussie du cantique *Il est né le divin Enfant*, et une infinité de souvenirs lui revinrent en mémoire.

Le duc se considérait comme un bon interprète et il était, en tant que tel, très impressionné.

Il ne pouvait que louer l'organiste pour la légèreté de son doigté et sa parfaite interprétation de l'œuvre.

Il arrêta son cheval près de la porte de l'église et resta immobile pour écouter. Enfant, il avait appris ce cantique et l'avait chanté à sa mère.

L'organiste joua le morceau jusqu'à la fin puis s'arrêta.

Le duc était curieux de voir qui jouait. Et le mélomane qu'il était tenait à féliciter cet excellent interprète.

Il descendit de cheval, attacha les rênes à un vieux poteau près du porche et pénétra dans l'église.

C'était, comme il s'y attendait, une toute petite église dont la nef au moins, avec ses arcs arrondis et sa voûte en berceau, était romane.

Son œil fut attiré par un vitrail particulièrement beau derrière le maître-autel. Puis il se rendit compte qu'un certain nombre d'enfants était assis dans les stalles sculptées du chœur.

Pendant qu'il les observait, une jeune femme quitta l'orgue derrière eux pour se placer au centre. Elle était assez frêle et paraissait très jeune. Son visage juvénile était dévoré par de grands yeux bleus. Ses cheveux, qui s'échappaient d'un petit bonnet, étaient blonds.

Telle qu'il la voyait, elle avait tout d'un ange.

Elle resta immobile pendant un instant, tournant le dos à l'autel. Puis elle dit aux enfants :

— Maintenant que vous avez entendu l'air de ce beau cantique, vous allez essayer d'en chanter les paroles. Je vais vous les chanter une fois d'abord, puis vous les chanterez ensuite avec moi.

Un petit murmure s'éleva parmi les enfants.

La jeune fille, la tête bien haute, commença à chanter d'une voix douce, claire et très pure.

Le duc avait l'impression d'entendre chanter un ange. La voix de la jeune fille avait quelque chose d'irréel. Quelque chose qui semblait complètement hors du monde. Cela ne pouvait venir que du Paradis où n'existait ni péché ni difficulté ni horreur ni crainte.

Il ne savait pas pourquoi il avait cette sensation. Et pourtant, tandis que la jeune fille chantait, cette pensée ne cessa de s'imposer à lui, comme si elle lui était inspirée par l'au-delà.

La jeune fille termina le premier couplet du cantique.

Le duc écoutait avec une immense attention.

Les enfants, il s'en rendait compte, faisaient de même. Comme si elle les avait hypnotisés.

Quand elle eut fini, elle sourit et le duc crut voir se lever le soleil.

– Maintenant, nous allons chanter avec la musique, dit-elle.

Elle retourna à l'orgue, et les enfants, sans qu'elle eût besoin de leur dire, se mirent debout.

Puis, toujours avec cette délicatesse de touche qui avait attiré le duc dans l'église, elle rejoua le cantique.

Cette fois sa voix, telle l'étoile de Bethléem, guidait les enfants qui chantaient comme seuls les enfants savent le faire, avec la fraîcheur de la jeunesse.

C'était très émouvant.

Le duc était de plus en plus conscient que la voix de la jeune fille était exceptionnelle.

Elle était si sincère et si pure qu'il n'y avait qu'un mot pour la décrire : elle était « angélique ».

CHAPITRE III

Quand les enfants eurent fini de chanter, la jeune fille quitta l'orgue et dit :

– C'était très bien ! Revenez demain à la même heure, nous recommencerons.

Les enfants sautèrent sur leurs pieds, pressés de sortir de l'église.

En rangs par deux, ils passèrent devant le duc qui se tenait près de la porte sans faire attention à lui.

Quand ils furent tous dehors, Sheldon remonta lentement le bas-côté jusqu'à l'endroit où la jeune fille était en train de ranger les livres de chant.

Comme il arrivait près d'elle, elle leva la tête d'un air surpris.

Il pensa alors qu'elle était encore plus jolie de près que de loin.

– Bonjour, dit-il de sa belle voix profonde.

Elle sourit et répondit :

– Il me semblait bien que j'avais vu quelqu'un au fond de l'église pendant que nous chantions.

– Je vous ai d'abord entendue jouer de l'orgue

et j'ai trouvé que vous aviez le doigté d'une organiste professionnelle.

Elle eut un petit rire très agréable à entendre.

– Vous me flattez beaucoup, mais je ne tiens
l'orgue à l'église que depuis la mort de l'organiste attitré. Mon père, qui est pasteur ici, n'arrivait pas à lui trouver un remplaçant.

– Je suis sûr que personne ne pourrait jouer
mieux que vous.

Elle lui jeta un petit coup d'œil timide qui
révélait son manque d'habitude des compliments. Puis, réalisant que la présence de cet
inconnu dans l'église était surprenante, elle
demanda :

– Puis-je faire quelque chose pour vous?

– Je pense que oui, répondit le duc, et j'aimerais en parler à votre père que j'ai d'ailleurs sans
doute rencontré quand il a été nommé dans cette
paroisse.

La jeune fille se figea sur place comme si une
idée lui avait soudain traversé l'esprit. Et elle
demanda avec un peu d'hésitation :

– Vous n'êtes pas... Ce n'est pas possible que
vous soyez...?

– Je suis le duc de Moorminster et je traver-
sais le village à cheval quand je vous ai entendue
jouer de l'orgue.

La jeune fille lui fit une petite révérence.

– Je suis... désolée, je... je ne vous avais pas
reconnu.

– Il n'y a aucune raison pour que vous me

reconnaissiez. Et vous, pourriez-vous me dire votre nom ?

– Je m'appelle Lavela Ashley et mon père est pasteur de Little Bedlington depuis dix-neuf ans.

– Dans ce cas, il a été nommé du temps de mon père et je ne le connais pas.

– J'ai bien peur que Papa ne soit pas à la maison pour le moment car il est allé loin rendre visite à l'un de ses paroissiens gravement malade.

Le duc réfléchit pendant un instant avant de poursuivre :

– Pourriez-vous venir demain à Moor Park avec votre père pour discuter de quelque chose que j'aimerais vous proposer ?

– Venir à... Moor Park...? répéta Lavela Ashley, d'une toute petite voix.

– Oui, vers onze heures du matin. Avez-vous un moyen de vous y rendre ?

– Oui... Oui, bien sûr... Monsieur le Duc.

– Alors, il me tarde de vous revoir, mademoiselle Ashley. Me permettez-vous de vous redire une fois encore combien j'ai apprécié votre façon de jouer ?

Lavela lui fit une révérence et le duc se dirigea vers la sortie de l'église en redescendant le bas-côté.

Ce faisant, il pensa avec satisfaction qu'au moins il avait trouvé quelqu'un pour jouer le rôle de l'ange dans sa pièce. C'était sans aucun doute un rôle pour elle.

Le duc monta sur son cheval et piqua des deux dans l'espoir de rentrer au château avant la tombée du jour.

Comme il connaissait bien le chemin, il fit le parcours au galop et rentra juste avant la nuit.

En arrivant à la grande porte d'entrée, il vit que plusieurs domestiques se tenaient là, guettant son retour d'un air inquiet en se demandant ce qui avait bien pu lui arriver.

Un garçon d'écurie l'attendait en bas de l'escalier.

Le duc se rendit directement dans son bureau et prit le manuscrit de la saynète qu'il n'avait pas fini d'écrire.

Elle avait été recopiée d'une fort belle écriture par l'assistant de M. Watson.

Tout en la lisant, le duc se rendit compte qu'il pensait à Fiona lorsqu'il l'avait écrite. Lentement, il la déchira.

Une chose était bien claire dans son esprit, et il ne changerait pas d'avis : Fiona ne jouerait ni ne chanterait devant le prince et la princesse de Galles.

Il comprenait maintenant pourquoi elle tenait tant à ce rôle. C'était non seulement pour le plaisir de se montrer sur scène mais aussi pour avoir l'occasion de séduire le prince et de s'en faire un allié qui aurait pu l'aider à réaliser ses projets de mariage.

Il était bien connu que le prince, cet amoureux

impénitent, prenait plaisir à favoriser les affaires de cœur de ses amis...

Il lui était arrivé plusieurs fois de faire avancer la date de mariage d'un fiancé hésitant. Il avertissait simplement le jeune homme peu pressé qu'on commençait à jaser au sujet de la femme à qui il faisait la cour.

« Je n'avais pas l'intention de me marier avant au moins cinq ans, avait gémi un ami de Sheldon. Mais que pouvais-je faire devant Son Altesse Royale qui insinuait lourdement que je ruinerais la réputation d'Alice si je ne la demandais pas en mariage ? »

Le duc pensait que son ami avait été bien stupide de se laisser piéger ainsi. Il ne savait que trop à quel point le prince était faible devant une jolie femme aux yeux pleins de larmes qui lui demandait son aide.

Il pensa, mais trop tard, qu'il n'aurait pas dû dire à Fiona que le prince s'était invité à Moor Park.

Il le regrettait non seulement à cause du couple royal, mais également à cause des membres de la famille Moore qui seraient présents et que Fiona saurait charmer pour s'en faire des alliés.

Il n'y avait jamais pensé auparavant pour la simple raison qu'il était bien décidé à ne pas se laisser entraîner à la hâte dans le mariage. Il avait oublié les trésors de rouerie que peut déployer une femme pour arriver à ses fins.

Il se mit en tête qu'il devait par tous les moyens empêcher Fiona de venir à Moor Park. Mais cela promettait d'être difficile dans la mesure où ils avaient établi ensemble la liste des invités.

Il savait bien que, même si sa grand-mère la duchesse douairière était présente, Fiora allait plus ou moins jouer le rôle de maîtresse de maison, comme elle le faisait d'habitude.

« Que puis-je faire ? » se demanda-t-il avec un immense sentiment d'impuissance.

Il restait trop peu de temps avant les fêtes de Noël pour compter sur un événement décisif avant l'arrivée des invités.

S'il quittait Fiona petit à petit, comme il en avait l'intention, elle exigerait tôt ou tard une explication. Il ne pourrait donc pas éviter de dire la vérité.

« Il faut simplement que j'attende et que je voie comment les choses évoluent », pensa-t-il.

Cependant, tout cela le contrariait.

Ayant dîné seul, il travailla très tard dans la nuit pour réécrire sa pièce de théâtre.

Il avait eu une nouvelle idée qui tenait compte du fait que c'était Noël et que de nombreuses personnes de sa famille étaient très âgées.

Il allait écrire quelque chose qui leur montrerait que, malgré leur âge, on ne les oubliait pas et qu'elles pouvaient occuper une place importante dans la vie de chacun. Il leur prouverait qu'elles avaient encore mille manières d'aider les autres et qu'on avait besoin d'elles.

Il imagina donc comme personnage principal une vieille dame qui évoquait avec nostalgie les plaisirs de la jeunesse.

Le rôle de ce personnage était déjà écrit.

La vieille dame chanterait les passions, les joies et les ambitions de la jeunesse et regretterait de les voir disparaître.

Alors, pour fêter Noël, un petit enfant lui offrirait un cadeau.

Puis une jeune fille, les bras également chargés de présents, viendrait lui demander de l'aide car elle vivait une histoire d'amour un peu compliquée.

La première réaction de la vieille dame serait de se déclarer d'aucun secours.

Et pourtant, elle saurait trouver les mots qui consolent et donnerait de bons conseils.

Et la jeune fille s'éloignerait, le cœur léger, pour retrouver son amoureux.

A ce moment-là, la vieille s'endormirait et elle ferait un rêve.

Dans ce rêve, un ange apparaîtrait, entouré de deux chérubins pour lui annoncer que la mort n'existe pas. Que ses bonnes actions lui survivraient lorsqu'elle aurait quitté ce monde. Même du Ciel, elle pourrait encore guider et aider tous ceux qu'elle aimait.

Quand cette idée avait germé dans son esprit,

le duc l'avait d'abord rejetée, la trouvant un peu trop sentimentale. Puis il avait pensé à sa grand-mère et à ses tantes, et il s'était dit qu'elles adoreraient ce message.

A vrai dire, bien qu'il n'en eût parlé à personne, il croyait sincèrement à ce qu'il exprimait dans cette saynète.

Les femmes qu'il avait fréquentées, y compris Fiona, se seraient moquées de lui si elles avaient su à quel point ses convictions religieuses étaient profondes.

Pour elles, la pratique occasionnelle de la religion, le dimanche, n'était qu'un simulacre. Elles se montraient immanquablement à chaque mariage ou enterrement où il était de bon ton d'être vu. Et en même temps, elles violaient continuellement les vœux qu'elles avaient contractés en se mariant. Et, d'une façon ou d'une autre, elles violaient également la plupart des commandements.

Il se souvenait d'une soirée où il s'était rendu en compagnie de Fiona. Soirée au cours de laquelle un des invités avait dit en plaisantant à une femme qu'il courtisait :

« Je suis certainement en train de violer le dixième commandement en convoitant la femme de mon voisin. »

Toute l'assistance avait éclaté de rire et un autre bel esprit avait rétorqué :

« Il n'y a qu'un commandement qui soit important. C'est le onzième : Tu ne te feras pas prendre! »

68

Le duc avait bien ri, et Fiona aussi.

Il venait de prendre conscience qu'il n'était pas possible de lui confier le rôle de l'ange.

Personne ne pouvait mieux l'incarner que cette jeune fille qu'il avait rencontrée aujourd'hui.

Il se demanda pourquoi il ne l'avait jamais vue auparavant. Il était vrai qu'à moins qu'elle n'eût participé à une chasse à courre dans cette partie du domaine, il n'avait aucune raison de l'avoir rencontrée.

« Peut-être y a-t-il d'autres talents cachés parmi les habitants du domaine », pensa-t-il en souriant.

S'apercevant qu'il était minuit passé, il se leva de sa table de travail.

Ce n'était pas une véritable pièce de théâtre qu'il avait écrite, mais plutôt une courte saynète comportant beaucoup plus de musique que de paroles.

Il restait donc à composer la musique.

Il pensa qu'il pourrait inclure dans le programme le noël que Lavela Ashley avait si joliment chanté dans l'église avec les enfants. Il voyait très bien comment l'intégrer dans l'ensemble.

Quant à la mélodie qu'il avait composée, elle serait jouée en musique de fond au moment où la vieille dame écouterait le discours de l'ange incarné par la jeune fille.

Ne serait-il pas bien de composer une musique spécialement pour cette petite ?

Comme un air lui trottait par la tête, il eut envie de le jouer immédiatement au piano, et il se rendit dans la salle de musique.

C'est alors qu'il s'aperçut qu'il était complètement épuisé. Il n'avait pas beaucoup dormi la nuit précédente, s'était levé de bonne heure et avait fait une longue course à cheval l'après-midi.

Il monta donc se coucher.

En sombrant dans le sommeil, il entendait encore la voix de Lavela retentir sous la voûte de l'église romane. Si pure et si claire qu'elle ne ressemblait à rien de ce qu'il avait entendu auparavant.

Le duc se réveilla de bonne heure et s'habilla tout en fredonnant.

Après le petit déjeuner, un cheval l'attendait à la porte et il le monta pendant une heure.

Il sauta avec une telle facilité les obstacles édifiés sur son champ de courses privé qu'il se promit de les faire un peu surélever.

Il rentra au château à onze heures moins le quart.

Il avait prévenu les domestiques de la visite du pasteur de Little Bedlington et de sa fille, et il avait recommandé de les introduire dans le salon de musique dès leur arrivée.

Cette pièce, sa préférée, était considérée comme une des plus belles du château. Elle était blanc et or, avec un plafond décoré de petits amours jouant de la harpe autour d'une Vénus qui, comme le lieu l'imposait, chantait une aria. Ce plafond, peint à l'origine par un artiste italien, était en très mauvais état quand le duc avait hérité du château.

Son père, qui n'était pas du tout musicien, ne mettait jamais les pieds dans le salon de musique.

Quand le duc était enfant, son piano se trouvait dans la salle d'études. Plus tard, il en avait fait installer un dans le salon à côté de sa chambre.

Une des premières initiatives du duc, quand il avait hérité du titre, avait été de remettre en état le salon de musique. Il avait fait peindre et redorer les boiseries, et restaurer le plafond.

Maintenant, la pièce était telle qu'à sa création par les frères Adam.

Arrivé dans le salon de musique, Sheldon s'assit au piano.

Il jouait, sinon comme un professionnel, en tout cas beaucoup mieux qu'un amateur.

Tout jeune homme, il avait pris des leçons avec un grand concertiste au cours d'un séjour en Italie. Il ne l'avait jamais dit à personne, de crainte qu'on ne se moquât de lui.

En fait, très peu de gens, même pas ses amies, savaient à quel point la musique était importante pour lui.

Fiona s'en était aperçue simplement parce qu'elle ne le quittait pas.

Mais lorsqu'il lui jouait une de ses compositions, il était certain qu'en réalité elle aurait préféré qu'il la prenne dans ses bras. Ses louanges étaient dictées plus par le souci de lui plaire que par la conviction qu'elle avait de son talent.

Il posa devant lui une feuille de papier à musique, où il se mit à noter l'air qui lui était venu en tête au cours de la nuit.

Il en avait écrit une bonne partie quand la porte s'ouvrit et qu'un domestique annonça :

– Le révérend Andrew Ashley, Monsieur le Duc, et Mlle Ashley.

Le duc se leva.

Au cours de la matinée, il avait un peu redouté de s'être laissé, la veille, emporter par son imagination.

Lavela Ashley lui avait fait penser à un ange... mais la musique l'avait peut-être troublé. Ses yeux avaient pu être trompés par la lumière déclinante de la fin d'après-midi...

Il jeta un rapide coup d'œil vers la jeune fille avant de regarder son père. Et il vit qu'elle était, dans le pâle soleil du matin, aussi angélique qu'il l'espérait.

Il souhaita la bienvenue au pasteur. C'était un homme extrêmement sympathique, aussi grand que lui, aux traits bien dessinés avec des cheveux grisonnants sur les tempes.

De plus, il avait l'air très distingué, ce qui fit penser au duc que cet homme était d'un excellent milieu.

– Je suis ravi de faire votre connaissance... Je suis vraiment par trop négligent d'avoir retardé ce moment.

Le pasteur sourit.

– Nous sommes à l'autre bout de votre domaine, Monsieur le Duc, et nous menons une vie très retirée. J'ai souvent l'impression que Little Bedlington est un peu oublié.

– Je veillerai à ce que cela change à l'avenir, répondit le duc.

Il tendit la main à Lavela en disant :

– Je suis très heureux que vous ayez accepté mon invitation et je vais vous faire part de mes projets.

Le duc se dirigea vers l'extrémité de la pièce où il indiqua au pasteur un fauteuil confortable.

Il s'assit en face de lui pendant que Lavela prenait place sur le canapé.

– J'espère que votre fille vous a raconté que je suis passé hier, tout à fait par hasard, devant votre église. Je l'ai entendue jouer de l'orgue et j'ai été extrêmement impressionné par son talent.

– C'est ce que j'ai toujours pensé, moi aussi, répondit le pasteur. Ma femme également est musicienne.

– Votre fille chantait un noël avec les enfants, continua le duc, et je me suis aperçu qu'elle avait en plus une très belle voix, d'un timbre rare.

Il remarqua que Lavela avait l'air intimidé pendant qu'il parlait et que le rose empourprait ses joues.

Elle était habillée aussi simplement que la veille dans l'église et portait le même bonnet. Mais, dans sa simplicité, ce bonnet semblait être la seule parure concevable pour ce visage aux yeux immenses et à l'expression enfantine.

De nouveau, le duc ne put la décrire autrement que par le mot « angélique ».

En quelques mots, il expliqua au pasteur et à Lavela ce qu'il avait projeté pour le samedi qui suivait Noël.

— Je vais vous montrer mon théâtre, mais auparavant je voudrais que votre fille chante pour moi comme hier dans l'église.

— Bien sûr, Monsieur le Duc, dit le pasteur, mais nous sommes venus sans aucune partition.

— Aucune importance, dit le duc, parce que je voudrais qu'elle joue et qu'elle chante une partie du cantique qu'elle enseignait à sa chorale. Ensuite, je lui dirai ce que j'aimerais lui faire faire.

Sans fausse humilité, sans protester d'aucune façon, Lavela se dirigea vers le piano.

Il était évident qu'elle connaissait le cantique par cœur.

Pour s'habituer au clavier, Lavela joua quelques mesures. Puis elle se mit à chanter.

Le duc avait déjà été ému par sa voix la veille, mais dans cette salle de musique où l'acoustique était parfaite, il fut complètement envoûté.

Elle finit par les derniers versets :

Le monde reste figé
Dans un silence sacré
Pour écouter les anges chanter.

Il pensa, pendant qu'elle chantait cela, que quiconque en l'écoutant resterait « figé dans un silence sacré », comme il l'était lui-même.

Lavela ôta ses mains du clavier.

– Monsieur le Duc, vous n'avez certainement pas besoin d'en entendre plus.

– J'écouterais volontiers le cantique entier, mais j'aimerais que vous chantiez quelques mesures d'un air que je viens de composer.

Il lui tendit la partition et s'assit au piano.

Ses doigts coururent sur le clavier, jouant la mélodie pour qu'elle puisse l'entendre sans les paroles. Puis il dit :

– Maintenant, essayez !

Il frappa un accord.

Alors, ainsi qu'il s'y attendait, la voix de Lavela s'éleva comme si elle allait se perdre dans le ciel.

A l'exception d'une seule hésitation, elle déchiffra sans se tromper ce qu'il avait écrit.

Quand elle eut fini, le pasteur applaudit.

– C'est charmant, Monsieur le Duc ! s'exclama-t-il. Je ne savais pas que vous étiez musicien !

– C'est vrai que cela étonne tout le monde et, quand j'étais enfant, j'étais trop timide pour le reconnaître.

– Vous devriez être très fier d'avoir composé une si belle mélodie, dit Lavela.

75

Tout en disant cela, elle étudiait la partition.

Le duc savait que ses compliments étaient sincères et c'est avec un sourire qu'il lui dit :

— Peut-être qu'un jour, quand nous aurons le temps, je vous ferai entendre quelques-unes de mes compositions et vous montrerai les poèmes que j'ai écrits sur ces airs de musique.

— J'en serais ravie, dit Lavela, et je crois que ce serait satisfaisant aussi pour vous de les montrer à quelqu'un.

Le duc était sûr qu'une autre à sa place aurait ajouté : « Et vous pourriez gagner une fortune en les vendant. »

Au lieu de cela, Lavela pensait à ce qu'il pourrait ressentir lui-même et, à vrai dire, elle ne se trompait pas.

— Venez voir le théâtre, suggéra-t-il.

Ils quittèrent le salon de musique et se dirigèrent vers l'aile du château où était situé le théâtre.

Lorsque le duc leur eut ouvert la porte, ils s'arrêtèrent en haut de l'escalier encadré par les loges aux armes royales.

— C'est superbe! s'exclama le pasteur. J'ai maintes fois regretté que le théâtre d'origine ait brûlé.

— Vous savez cela? s'étonna le duc.

— J'ai toujours été fasciné par l'histoire de votre château, Monsieur le Duc, et votre père m'avait très aimablement fait tout visiter lui-même, en me montrant les modifications apportées en 1780 et les parties du bâtiment qui sont encore d'origine.

– C'était il y a longtemps, dit le duc, et je serais heureux de vous faire découvrir les changements réalisés depuis.

– Cela me ferait vraiment plaisir, bien plus que je ne saurais le dire, répondit le pasteur.

Le duc invita Lavela à monter sur la scène.

Elle en fut aussi heureuse que l'aurait été Fiona en recevant un bracelet de diamants.

– Le théâtre est si petit, dit le duc, que je n'ai pas l'impression que vous aurez le trac.

– Chaque année, dans le hall de l'école, nous donnons pour Noël une représentation de la Nativité et je n'ai jamais le trac.

Elle sourit avant de continuer :

– Bien sûr, ici le public sera différent, mais j'espère que je parviendrai à l'oublier.

– C'est ce qu'il y a de mieux à faire, dit le pasteur avant que le duc n'ait répondu. Je demande toujours aux enfants de se mettre dans la peau de leur personnage et de se persuader qu'ils sont vraiment rois Mages, bergers ou même Vierge Marie.

– Je vois, mon révérend, que vous vous y connaissez en théâtre, remarqua le duc.

Le pasteur se mit à rire.

– Je dois reconnaître que je prenais beaucoup de plaisir dans une troupe de théâtre amateur lorsque j'étais à Oxford.

– Papa est un excellent comédien, dit Lavela.

Une année, nous avons eu l'audace de monter *Le Roi Lear* et tout le monde fut unanime pour dire que Papa gâchait son talent en restant modeste pasteur à Little Bedlington!

— En vous écoutant tous les deux, je m'aperçois que j'ai eu beaucoup de chance de découvrir par hasard ces talents cachés si près de moi.

— Prenez garde, Monsieur le Duc! l'avertit Lavela d'une façon inattendue. Lorsqu'on incite les gens à jouer la comédie, il arrive qu'ils se prennent au jeu et pensent que leur carrière est toute tracée alors qu'en fait ils sont d'une médiocrité lamentable, et ensuite il est très difficile de se débarrasser d'eux.

— C'est bien vrai, approuva le pasteur. Il y a dans ma paroisse quelques vieilles demoiselles qui s'acharnent à nous présenter des œuvres de leur composition. La plupart du temps, leurs poèmes sont interminables, mortellement ennuyeux, et elles chantent faux.

Le duc éclata de rire.

— Je vous remercie de me prévenir.

— Quand elles vont entendre parler de ce superbe théâtre, vous aurez toutes les peines du monde à les décourager, dit Lavela.

— Alors, il ne me reste qu'à vous demander de ne pas en parler, dit le duc en souriant.

— A vrai dire, cela sera inutile, répondit Lavela, car même si nous n'en parlons pas, tout le monde sera au courant.

— Tout le monde?

– Rien de ce qui se passe à Moor Park ne peut rester secret, tout simplement parce que cela passionne les gens.

Lavela vit que le duc était sceptique et expliqua :

– Non seulement vous êtes notre propriétaire, Monsieur le Duc, mais vous êtes aussi le personnage le plus fascinant du pays.

– Je suppose que je devrais être flatté, dit le duc d'un ton lugubre.

– Quand vous donnez une réception, continua Lavela, les commentaires vont bon train.

Pendant qu'elle parlait, ses yeux pétillaient de malice et le duc pensa que sa beauté en prenait un éclat nouveau.

– Maintenant, je suis vraiment atterré! Je ne savais pas que je pouvais être un sujet de conversation intéressant!

– Et pourtant...! s'écria Lavela. Vous savez, les événements sont rares ici, sauf, bien sûr, lorsqu'un renard enlève une poule de concours ou qu'une loutre a été aperçue dans la rivière.

– Quel sinistre tableau! dit le duc en riant. Donc, je suppose que je dois me réjouir, car, grâce à mon théâtre, tout le monde aura un nouveau sujet de conversation.

– C'est certain, dit Lavela. Mais, ceci étant, Monsieur le Duc, je suis très... très honorée d'avoir... d'avoir l'occasion d'y chanter.

Tout en disant cela, elle se rendit compte qu'elle aurait dû exprimer plus tôt sa gratitude.

79

Elle jeta un coup d'œil inquiet vers son père, craignant qu'il ne lui reproche d'avoir manqué à la plus élémentaire des politesses.

— Je ne peux que vous dire combien je suis heureux que vous ayez accepté ce rôle que je souhaitais tant vous voir interpréter, dit le duc.

— Il est l'heure de prendre congé maintenant, Monsieur le Duc, dit le pasteur. Nous avons déjà abusé de votre temps. Si vous voulez bien dire à Lavela quand vous souhaitez la revoir, nous allons rentrer chez nous.

— Comme je suis seul, j'aimerais que vous déjeuniez avec moi, et ensuite, mon révérend, le conservateur sera ravi de vous faire visiter le château pendant que votre fille et moi travaillerons un peu la partition.

Tout en disant cela, il pensa qu'il allait certainement confier un rôle plus important à Lavela. Sa voix était tellement exceptionnelle! Ce serait bien qu'elle chante en solo soit au début soit à la fin de la pièce.

C'était juste une idée qui lui traversait l'esprit. Mais, n'allait-il pas donner à cette jeune fille un rôle trop important dans une pièce dont la vedette devait être une cantatrice professionnelle?

— Si vous êtes sûr que nous ne vous dérangeons pas, Monsieur le Duc, dit le pasteur, Lavela et moi-même acceptons avec grand plaisir votre invitation.

Après le déjeuner, le pasteur partit visiter le

château en compagnie du conservateur, pendant que le duc emmenait Lavela au salon. Pour lui, c'était une des plus belles pièces du château. Et il se rendit compte, à la façon dont les yeux de Lavela brillaient en regardant tout autour d'elle, qu'elle était émerveillée.

Le duc savait que lorsque des visiteurs venaient à Moor Park pour la première fois, ils étaient impressionnés. A la fois par l'extravagance des dimensions du château, par le raffinement de sa décoration et par les trésors qu'il renfermait.

Il n'y avait que ses amis très blasés qui trouvaient tout cela naturel. Les femmes étaient plus intéressées par les toilettes de leurs rivales. Et les hommes n'étaient attirés que par les chevaux.

Lorsque le duc montra à Lavela son inestimable collection de tabatières, elle les regarda sans mot dire. Puis, à voix basse, comme si elle se parlait à elle-même, elle murmura :

– Je me crois dans la caverne d'Ali Baba.

Elle était si jeune et si ingénue que le duc se fit un plaisir de lui montrer les pièces qui se trouvaient sur le chemin de la salle de musique.

Il aimait cette façon qu'elle avait de tout admirer, sans mots inutiles et sans démonstrations intempestives. Il y avait dans ses yeux une lumière qui en disait plus long que les paroles.

Quand ils arrivèrent à la salle de musique, elle murmura :

— Je vous remercie... je vous remercie beaucoup de votre gentillesse. Votre château est exactement comme dans mes rêves. Je fais souvent un détour pour admirer sa façade et les statues qui ornent la balustrade du toit.

Soudain, le duc prit conscience qu'il n'était pas allé sur le toit depuis de nombreuses années. Comme il avait toujours vu ces statues, il avait presque oublié ce qu'elles représentaient.

— Désormais, dit-il, vous ne regarderez plus seulement la façade, vous pourrez visiter et je suis sûr que vous trouverez un tas de choses qui vous intéresseront.

— Il y en aura tant que je souhaiterais que Noël se fête un peu plus tard cette année! dit Lavela en riant.

— Mais en réalité Noël va bien vite arriver, il faudra donc beaucoup travailler car j'aimerais que ce spectacle d'inauguration soit de tout premier ordre.

— J'essaierai... j'essaierai de toutes mes forces d'être... à la hauteur, promit Lavela.

— Je suis sûr que vous y parviendrez, dit le duc en souriant.

Il s'assit au piano et Lavela, après avoir enlevé son bonnet comme si elle se sentait plus libre tête nue, prit la partition. Elle la chanta jusqu'au bout une première fois.

— S'il vous plaît, recommençons, demanda-t-elle.

Le duc l'accompagnait doucement au piano

quand soudain la porte s'ouvrit violemment, laissant le passage à Fiona.

Le duc s'arrêta de jouer.

Fiona était vêtue d'une manière encore plus extravagante que d'habitude.

La robe qu'elle portait, sous une longue cape de fourrure, était vert émeraude, une de ses couleurs préférées. Son chapeau était orné de plumes d'autruche assorties et des émeraudes brillaient à ses oreilles.

Elle traversa la pièce en direction de la petite estrade où se trouvait le piano.

Comme le duc se levait lentement, elle dit :

— Sheldon! Comment avez-vous pu quitter Londres sans me prévenir? Je n'arrivais pas à croire que vous étiez parti chez vous... tout seul!

Il y avait eu un silence avant le dernier mot et elle regarda Lavela d'un air interrogateur.

— Je vous ai fait parvenir un billet pour vous informer que j'avais un certain nombre de détails à mettre au point ici, répondit froidement le duc, et que je souhaitais, pour l'instant, être seul.

— Seul! s'exclama Fiona. Je n'ai jamais entendu une telle sottise! Et pourtant, mon chéri, vous saviez bien que je comptais les jours, les heures, les minutes en attendant votre retour.

— Je compte rentrer à Londres sous peu, et votre venue ici n'a aucune raison d'être.

Avant que Fiona ne puisse répliquer, il continua :

– Permettez-moi de vous présenter à Mlle Lavela Ashley, qui a une délicieuse voix de soprano et qui jouera dans la pièce que j'ai écrite pour l'inauguration de mon théâtre. Mademoiselle Ashley... lady Faversham.

Lavela tendit la main mais Fiona ne fit pas un geste.

Elle lui jeta seulement un regard dans lequel le duc perçut une expression à la fois méprisante et peu amène.

– Comment se fait-il que je ne vous aie jamais rencontrée? demanda Fiona.

– Parce que c'est la première fois que je viens ici.

– C'est la vérité, dit le duc. A vrai dire, je n'ai découvert Mlle Ashley qu'hier, et son père, le pasteur de Little Bedlington, visite en ce moment le château avec le conservateur.

Comme il donnait ces explications, il lui sembla que Fiona se détendait.

Il savait très bien ce qu'elle était en train d'imaginer et il l'aurait volontiers laissée dans son erreur s'il n'avait voulu protéger Lavela.

Manifestement, cette petite jeune fille au visage d'ange, qui sortait tout droit de son presbytère, n'avait jamais eu l'occasion de rencontrer un tel personnage.

A voir la façon dont elle l'observait, il était évident qu'elle était à tout le moins étonnée par l'allure de Fiona.

– Bien sûr, mon très cher, mais je ne pouvais

pas supporter l'idée de vous savoir seul ici sans personne d'intelligent à qui parler, dit Fiona sur un autre ton. J'ai donc rassemblé quelques amis et nous sommes venus aussi vite que possible.

– Qui est avec vous? demanda le duc d'un ton tranchant.

– Comme j'avais très peu de temps devant moi, j'ai seulement invité Isabelle Henley dont le mari est absent, et Jocelyn, qui avait très envie de vous voir, nous a accompagnées.

– Jocelyn!

Le duc eut du mal à empêcher que sa colère ne se décèle dans le ton de sa voix.

La dernière personne au monde qu'il avait envie de voir en ce moment, c'était bien son cousin.

Jocelyn avait dû, de toute façon, insister pour venir. Et la raison pour laquelle il avait envie de rencontrer Sheldon n'avait rien à voir avec Fiona.

Cependant, le duc sentit sa colère monter. Puis il se dit qu'il devait prendre garde à ses réactions.

Jusqu'à maintenant, il n'y avait rien d'inhabituel, au contraire, dans le fait que Fiona soit avec lui à Moor Park.

Comme elle ne savait pas qu'il était au courant de sa conduite, elle avait considéré qu'il était en quelque sorte de son devoir de le suivre. Pour que tout se passe bien et qu'il ne soit pas seul.

Il fut soudain frappé par le fait que quelqu'un

d'aussi jeune et d'aussi pur que Lavela risquait d'être scandalisé en découvrant l'intimité de leurs relations.

D'une voix quelque peu autoritaire, il ordonna :

— Commandez un thé pour vous et pour vos invités dans le salon bleu. Nous vous rejoindrons, Mlle Ashley et moi-même, quand nous aurons fini de répéter.

Il s'exprimait d'un ton si décidé que Fiona eut la sagesse de ne pas discuter.

— Bien sûr, mon cher Sheldon, je ferai tout ce que vous voudrez. Mais vous ne m'avez pas encore dit que vous étiez heureux de me voir.

Elle lui parlait avec sa coquetterie habituelle, en jouant de la prunelle.

— C'est certainement une surprise, répondit le duc d'un ton brusque.

Il se retourna tout en disant ces mots et s'assit au piano.

Fiona hésita. Puis, comme elle ne pouvait rien faire d'autre que de quitter la pièce, elle s'éloigna d'un air majestueux en fermant bruyamment la porte derrière elle.

Le duc ne dit pas un mot.

Il se mit simplement à jouer une des compositions dont il tirait le plus de fierté.

Avec la musique, sa colère se dissipa.

Pendant un instant, il oublia les trois personnes qui avaient fait irruption chez lui sans y être conviées et ne pensa qu'à Lavela.

86

Il se rendait compte que, petit à petit, elle s'approchait de lui pour observer le mouvement de ses doigts. Puis, quand il plaqua les derniers accords, elle resta complètement muette.

Il apprécia qu'elle ne dise rien.

Son silence avait beaucoup plus de signification que les compliments abondants mais sans intérêt que lui aurait prodigués Fiona.

Enfin, Lavela dit :

— C'était beau... très beau! Je suis sûre que c'est vous qui l'avez composé.

— Comment l'avez-vous deviné?

— Parce que j'ai compris ce que vous éprouviez en jouant. Cette musique était une partie de vous-même.

Il fut étonné qu'elle puisse avoir autant d'intuition. Après un instant de silence, il dit :

— Il me semble que vous comprenez mieux que la plupart des gens que l'inspiration n'est pas uniquement le fruit de la réflexion.

— Bien sûr que la musique n'est pas uniquement cérébrale, approuva Lavela. Elle vient du cœur et de l'esprit. C'est exactement ce que je ressens quand je chante.

— Je crois, dit le duc comme s'il venait de faire cette découverte, que c'est l'essence même de la musique.

CHAPITRE IV

A ce moment, la porte s'ouvrit et le pasteur entra dans la pièce.

– J'ai visité une grande partie du château, Monsieur le Duc, mais je viens d'apprendre que vos invités étaient arrivés. Je pense donc qu'il est temps que nous prenions congé.

– Rien ne presse, dit vivement le duc. Je voudrais d'abord, puisque vous aimez tant la musique, que vous m'aidiez à trouver quelqu'un capable d'interpréter le rôle de la vieille dame dans ma pièce.

Sans attendre la réponse du pasteur, il continua :

– Votre fille jouera l'ange qui vient la rassurer et lui rappeler à quel point la sagesse des personnes âgées peut être précieuse pour les jeunes générations et que, même depuis l'au-delà, elles pourront continuer à apporter leur secours à ceux qu'elles aiment.

Le duc s'aperçut que le pasteur le regardait avec étonnement. Alors, se rendant compte que sa surprise pouvait être impolie, celui-ci dit rapidement :

– C'est un message idéal pour les fêtes de Noël, Monsieur le Duc.

– Pensez-vous, Papa, intervint Lavela, que Madame pourrait jouer le rôle de la vieille dame?

Le pasteur hésita et le duc les regarda l'un après l'autre.

– Vous n'allez tout de même pas me dire qu'il y a un autre talent caché à Little Bedlington?

– Il y en a un en effet, Monsieur le Duc, et il ne vous serait pas difficile, si vous lui demandiez personnellement, de convaincre Mme Grantham de jouer ce rôle.

– A-t-elle vraiment une belle voix? demanda le duc.

– Avant d'épouser un Anglais, elle s'appelait Maria Colzaio.

Le duc en resta médusé.

– Vous voulez dire... non... ce n'est pas possible!

– Oui, la fameuse Maria Colzaio.

– Et elle vit à Little Bedlington? Je n'en crois pas mes oreilles! Comment se fait-il que je n'en aie rien su?

Le pasteur sourit.

– Maria Colzaio, qui fut, comme vous le savez, une des plus célèbres chanteuses d'opéra en Europe, s'est retirée de la scène à soixante ans et a épousé James Grantham, un Anglais.

Il se tut un instant avant de continuer :

– Ils ont vécu très heureux et elle était

enchantée de ne connaître personne et d'oublier que jadis elle avait été une célèbre *prima donna*. Et puis, son mari est mort.

– Quand l'a-t-elle perdu?

– Il y a bientôt deux ans, répondit le pasteur, mais ce n'est que depuis peu qu'à force de persuasion elle vient nous voir de temps en temps. Depuis six mois, elle enseigne le chant à Lavela.

– Voilà donc pourquoi sa voix est si bien placée, ce qui met encore plus en valeur son timbre exceptionnel!

– Je partage tout à fait votre avis, dit simplement le pasteur, et puisque maintenant Madame a repris goût à la vie, je suis sûr, Monsieur le Duc, que si vous lui demandez de participer à un spectacle avec Lavela, elle le fera.

– J'irai lui rendre visite demain. Et comme j'ai besoin de parler à Lavela de son rôle, me permettez-vous de passer chez vous demain matin?

En disant cela, il pensait qu'il valait mieux que ce soit lui qui aille au presbytère plutôt que Lavela à Moor Park, où Fiona risquait toujours de provoquer des esclandres.

– Nous serons enchantés de vous recevoir, répondit le pasteur, et naturellement, Monsieur le Duc, nous espérons vous garder pour déjeuner.

– Je vous remercie beaucoup, cela me fera très plaisir.

Puis il reprit la partition et dit:

– Je suppose qu'il n'y a plus d'autres talents cachés à Little Bedlington, n'est-ce pas?

Lavela jeta un coup d'œil à son père.

– Papa a appris à huit hommes de la paroisse à jouer du carillon et je peux vous assurer qu'ils sont excellents.

Le duc connaissait l'art du carillon, qui remonte au Moyen Age et permet aux sonneurs exercés de jouer un air, aussi bien qu'avec n'importe quel instrument, à l'aide de leurs cloches accordées dans des tons différents.

– Eh bien! cela complétera le programme de ma soirée! dit-il avec satisfaction. Ce sera un spectacle unique puisqu'il n'y paraîtra aucun professionnel! Une soirée où je présenterai Little Bedlington au Tout-Londres!

Le pasteur se mit à rire.

– J'espère que ce ne sera pas un fiasco, dit Lavela. N'oubliez pas qu'en dehors du village, nous ne sommes que d'illustres inconnus, sauf Madame, comme nous avons coutume de l'appeler.

– Je ne sais pas si elle voudra que le public découvre son identité, dit le pasteur. Mais, naturellement, nous laissons la décision à la discrétion de Monsieur le Duc.

– Et vous m'arrangerez un rendez-vous avec elle pour demain? demanda le duc.

– Bien sûr. Nous vous attendrons, si cela vous convient, à onze heures.

Le duc les accompagna à la porte.

En regardant s'éloigner le pasteur dans son vieux cabriolet à capote, il avait l'impression de vivre un rêve éveillé.

Comment avait-il fait pour ne jamais soupçonner l'existence de tous ces musiciens de talent qui vivaient sur ses terres?

A vrai dire, il lui fallait bien reconnaître qu'il avait toujours été plus que discret sur sa passion pour la musique. A Londres, il avait coutume d'assister aux concerts et aux opéras où se produisaient des artistes célèbres, mais en général il y allait seul.

A l'heure présente, il était complètement surexcité car l'inauguration de son théâtre prenait exactement le tour qu'il souhaitait

Il n'avait pas besoin de professionnels qui risquaient de tenir à interpréter leur morceau de bravoure sans se soucier des goûts de son public très particulier.

Il savait que sa famille, à défaut des autres spectateurs, serait très sensible au fait que les enfants du village chantent pour eux. Il savait aussi à quel point la présence de Maria Colzaio déchaînerait l'enthousiasme.

Au moment où il se retourna pour rentrer dans le hall, ce qu'il avait réussi à oublier pendant un moment s'imposa à lui : il devait s'occuper de Fiona et aussi de son cousin Jocelyn.

— Lady Faversham et la comtesse d'Henley sont dans le salon bleu, Monsieur le Duc, lui dit Norton, le maître d'hôtel.

Soudain, le duc sut ce qu'il devait faire.

Il se dirigea rapidement dans la direction

opposée et emprunta un couloir qui le mena dans son cabinet de travail. Là se trouvait également le bureau de son secrétaire, et il était sûr d'y voir M. Watson.

Il y était en effet. Le secrétaire était assis à l'un des bureaux et son adjoint à l'autre.

Ils se levèrent dès que le duc entra.

– J'ai besoin de vous parler en particulier, monsieur Watson.

L'assistant quitta aussitôt la pièce.

Le duc s'installa au bureau laissé libre et se mit à écrire quelques lignes sur une feuille de papier à lettres ornée de ses armoiries.

– Écoutez, monsieur Watson, dit-il tout en écrivant, j'ai besoin que vous fassiez parvenir ce billet immédiatement à Mme Robertson et au colonel. Je leur annonce que je suis arrivé à l'improviste avec un groupe d'amis londoniens, que je serais ravi de les avoir ce soir à dîner et même de leur offrir l'hospitalité pour les deux jours à venir.

Après un instant, il poursuivit :

– Je leur dis aussi qu'à cause du gel il vaudrait peut-être mieux qu'ils ne rentrent pas chez eux tard dans la nuit.

Le duc glissa le billet dans une enveloppe et le tendit à M. Watson en lui demandant :

– Qui habite actuellement Dower House ?

– Souvenez-vous, Monsieur le Duc, que vous l'avez prêtée à lord et lady Bredon pendant qu'ils font des travaux dans leur manoir qui a été ravagé par un incendie.

– Ah oui, c'est vrai!

Le duc rédigea ensuite un autre billet, cependant que M. Watson attendait.

– Je demande à ma cousine lady Bredon de venir ici ce week-end et de tenir le rôle d'hôtesse pour ma réception.

Tout en disant ces mots, il remarqua que M. Watson paraissait surpris, bien qu'il ne fît aucune remarque.

Enid Bredon était une femme d'une cinquantaine d'années, autoritaire, plutôt envahissante, que le duc, d'ordinaire, évitait chaque fois qu'il le pouvait.

Mais il lui avait été impossible de refuser ce qu'elle considérait presque comme un droit : la permission d'habiter Dower House. Pourtant, jusqu'à présent, il n'avait pas fait beaucoup d'efforts pour l'inviter à ses réceptions au château.

Il pensait maintenant, un sourire sarcastique au coin des lèvres, que si quelqu'un pouvait empêcher Fiona de jouer la maîtresse de maison, c'était bien Enid Bredon.

Il tendit le second billet à M. Watson en disant :

– J'aimerais donner un grand déjeuner demain midi, un dîner encore plus important le soir, et la même chose tous les jours jusqu'à ce que mes invités actuels s'en aillent.

Sa voix était plutôt dure, mais M. Watson, avec son tact habituel, répondit seulement d'un ton tranquille :

– Je suppose, Monsieur le Duc, que vous désirez que j'invite tous vos proches voisins?

– Invitez également les plus éloignés et proposez-leur de passer la nuit ici. Il y a beaucoup de place dans le château et je suis sûr que vous pourrez trouver des extras au village.

– Bien sûr, Monsieur le Duc!

M. Watson attendit un peu, puis il demanda d'une voix hésitante :

– Monsieur le Duc me laisse-t-il choisir ses invités?

– Vous savez mieux que moi, monsieur Watson, qui est disponible, et je veux que la maison soit pleine, jusqu'à ce que lady Faversham et M. Jocelyn soient partis.

M. Watson avait conscience qu'il se passait quelque chose d'inhabituel.

Quand le duc eut quitté le bureau, il sonna son assistant et organisa le programme des jours à venir, ce qu'il savait faire mieux que quiconque.

Un sourire sarcastique errait sur les lèvres du duc alors qu'il se dirigeait vers le salon bleu.

Il était bien décidé à empêcher à tout prix Jocelyn de l'approcher. Car il était bien évident que son cousin chercherait par tous les moyens à lui demander de l'argent pour payer ses dettes.

Le duc voulait aussi, grâce à ce qu'il considérait comme une tactique très subtile, montrer à Fiona que son règne avait pris fin.

Quand il entra dans le salon bleu, elle poussa un petit cri de joie et courut vers lui avec empressement.

– Oh! Vous voilà enfin, Sheldon chéri! Nous nous demandions comment vous pouviez vous laisser absorber à ce point par des affaires paroissiales!

Ses paroles révélaient qu'elle s'était renseignée sur Lavela. Les domestiques avaient dû l'informer que le pasteur se trouvait lui aussi dans la maison.

Le duc ne lui répondit pas mais se dirigea vers la comtesse d'Henley et l'embrassa sur la joue.

– Je suis étonnée de vous voir ici, Isabelle. Je croyais que vous haïssiez la campagne à cette époque de l'année!

– Moor Park n'est pas la campagne! répondit Isabelle Henley. C'est un château luxueux, et cela change tout.

C'était le genre de remarque qui faisait toujours rire les gens et Jocelyn sourit par complaisance.

– Comment allez-vous, Sheldon? demanda-t-il au duc. Comme ces deux jolies dames voulaient vous rejoindre, je ne pouvais pas faire autrement que de leur servir d'escorte, vous comprenez?

– Naturellement, répondit le duc, et j'espère que cela ne vous coûtera pas trop.

Puis il alla s'asseoir à côté de lady Henley et se mit à parler de leurs amis communs.

Isabelle Hendley faisait partie des « beautés » reconnues du Tout-Londres. C'était aussi une très mauvaise langue, qui pouvait parfois devenir venimeuse.

Elle vivait plus ou moins séparée de son mari, qui aimait mieux rester sur ses terres dans le nord de l'Angleterre pendant qu'elle prenait plaisir au tourbillon mondain de Mayfair.

On disait qu'elle avait beaucoup d'amants et le duc savait, tout en flirtant avec elle, qu'elle était en train d'échafauder des plans pour le détourner de Fiona. Il s'aperçut aussi que Fiona et Jocelyn l'observaient.

Quand ils eurent fini de prendre le thé, c'est avec soulagement qu'il vit s'approcher le maître d'hôtel qui lui dit :

— M. Watson voudrait vous parler, Monsieur le Duc.

— Excusez-moi, fit-il en se levant.

Puis, se tournant vers Isabelle, il déclara :

— Vous êtes plus spirituelle que jamais, Isabelle, et je me fais à l'avance une joie du dîner de ce soir.

La comtesse lui lança une œillade provocante.

En traversant la pièce, il sentit dans son dos le regard furieux de Fiona.

Dans le hall, M. Watson l'attendait.

— J'ai la réponse de Mme Robertson et du colonel, Monsieur le Duc : ils arriveront à l'heure du dîner. Quant à lord et lady Bredon, ils ont demandé qu'une voiture vienne les chercher dès maintenant.

– Merci, monsieur Watson. Pour le dîner, je voudrais la comtesse d'Henley à ma droite et Mme Robertson à ma gauche.

M. Watson l'inscrivit sur son bloc-notes.

– Lady Bredon sera en face de moi à l'autre bout de la table, ce soir et pendant tout le temps de son séjour ici.

Puis le duc partit rapidement en direction de son bureau.

Là, il s'enferma à double tour et se mit à travailler sur le programme de la soirée d'inauguration.

C'était tout de même incroyable de penser que Maria Colzaio vivait à deux pas de chez lui. En y réfléchissant, il se rendit compte que Little Bedlington était à une bonne dizaine de kilomètres de Moor Park.

S'il était dangereux pour les Robertson de rentrer chez eux en voiture alors qu'ils habitaient de l'autre côté du parc, ce le serait encore plus pour les enfants qui devraient retourner au village samedi soir après la représentation.

« Eux aussi doivent passer la nuit ici », décida-t-il.

Il pensa que ce serait amusant et que cela alimenterait les conversations.

Il y avait probablement pas mal de très jeunes enfants dans cette chorale. Ce qui voulait dire qu'il faudrait loger au moins quelques mamans pour s'occuper d'eux.

Il nota tout ce qu'il avait décidé.

Il attendrait que M. Watson ait terminé les invitations pour lui donner ces dernières directives.

Il se sentait un peu comme un général préparant un assaut contre l'ennemi qui, dans le cas présent, se limitait à deux personnes.

Mais, ces deux-là, chacune dans leur genre, pouvaient se révéler des adversaires infiniment redoutables.

Fiona et Jocelyn retrouvèrent le duc dans le salon avant le dîner et ils parurent stupéfaits de trouver là lord et lady Bredon.

Le colonel et Mme Robertson furent annoncés quelques minutes plus tard.

Les nouveaux arrivants étaient manifestement enchantés d'avoir été invités, même avec si peu de préavis.

– Vous êtes sans doute venu de façon tout à fait imprévue? demanda lady Bredon.

– En rentrant de Hollande, j'étais tellement fatigué des discours pompeux et des embrouilles politiques que j'ai pris le large!

Tout le monde s'esclaffa et lord Bredon reprit :

– Je connais cela, Sheldon. Mais, s'il cesse de geler, la chasse vous fera oublier tous vos soucis.

– C'est vraiment dommage que vous n'ayez pas été ici la semaine dernière, dit Mme Robertson, alors qu'ils prenaient place à table.

100

Très flattée de se trouver à la gauche du duc, elle se lança dans une longue description assez pittoresque de la chasse au renard de la semaine précédente et de la manière dont les hommes avaient laissé filer l'animal.

Comme le duc s'y attendait, elle ne se gêna pas pour critiquer les chasseurs.

D'habitude, il la trouvait plutôt ennuyeuse. Mais ce soir-là, il était décidé à mettre en valeur tous les convives, à l'exception de Fiona.

La comtesse tira le plus grand parti possible de sa place à la droite du duc.

Elle flirta avec lui et le fit rire tout en s'arrangeant pour tenir en même temps sous son charme lord Bredon qui était à sa droite.

Le dîner était excellent.

Le duc remarqua qu'à l'exception de Fiona qui boudait, tout le monde avait l'air content.

Quand ils arrivèrent dans le salon, deux tables à jouer étaient dressées pour un *whist*.

Comme il y avait exactement le nombre de personnes requis pour la partie, le duc organisa les tables en prenant garde que ni Jocelyn ni Fiona ne soient à la sienne.

Fiona déploya toutes ses ruses pour se rapprocher de lui. Mais il s'arrangea si bien pour l'éviter qu'elle en fut pour ses frais.

Finalement, elle monta se coucher pendant que le reste des invités se souhaitaient une bonne nuit en lançant au duc un regard lourd de sens pour bien lui faire comprendre ce qu'elle attendait de lui.

Les autres invités s'attardèrent quelque temps à bavarder jusqu'à ce que Mme Robertson dise :

– Il me semble que nous sommes un peu égoïstes. Je suis sûre, mon cher duc, qu'après votre voyage en Hollande, vous devez être très fatigué.

– Oui, un peu, admit-il.

Il gardait les yeux fixés sur Jocelyn qui se dirigeait vers la porte.

La comtesse suivit plutôt à contrecœur.

Mme Robertson finit la citronnade qui restait dans son verre. Ce faisant, elle dit au duc :

– Quelle bonne soirée! C'était très aimable à vous de nous inviter.

– Tout le plaisir a été pour moi, répondit-il.

– J'ai toujours eu beaucoup d'admiration pour lady Faversham, continua Mme Robertson, et ce soir elle était plus belle que jamais.

– C'est bien mon avis, murmura le duc.

– Quelle tristesse qu'elle ne puisse pas avoir d'enfant!

Le duc resta interdit.

– Pourquoi dites-vous cela?

– Je pensais que vous le saviez. Mes parents étaient de proches voisins du duc de Cumbria et j'ai connu Fiona enfant.

– Je l'ignorais.

– A quinze ans, elle a eu un très grave accident au cours d'une chasse.

Le duc écoutait très attentivement. Encouragée, Mme Robertson continua :

– Elle s'en est très bien remise, mais les méde-
cins ont alors déclaré qu'elle ne pourrait jamais
avoir d'enfant, et j'ai souvent pensé que c'est la
raison pour laquelle son mariage avec Eric
Faversham a été un échec.

Elle émit une sorte de petit rire.

– Je sais bien qu'il était, à beaucoup d'égards,
un « méchant garçon », mais je crois que si un fils
était né de leur union, tout aurait été différent.

Elle se tut et se dirigea vers la porte.

Le duc la suivit, rendu muet par cette révéla-
tion stupéfiante.

Pas un seul instant, lorsqu'il songeait à épouser Fiona, il ne lui était venu à l'idée qu'elle pouvait être stérile et ne jamais lui donner d'héritier.

Il mesurait maintenant l'ampleur de la catastrophe qu'aurait représentée la découverte de la
vérité après leur mariage.

Décidément, il avait été très stupide.

Pourquoi n'avait-il jamais cherché à savoir
comment il se faisait qu'après toutes ses années
de mariage avec Eric Faversham, ardent amoureux s'il en fût, ils n'avaient jamais eu d'enfants?

Il accompagna Mme Robertson à la porte de
sa chambre, lui souhaita une bonne nuit et se
dirigea vers sa propre chambre, qui était tout au
bout du couloir.

Tout en marchant, il pensait que, grâce à Dieu,
il l'avait échappé belle.

L'idée même du désastre dont il avait été préservé le rendait malade.

Il était évident que Fiona, toute à son ambition de devenir duchesse de Moorminster, ne lui aurait rien dit.

Il soupçonnait cependant Jocelyn de connaître la vérité. Le fait que la duchesse ne puisse donner naissance à un héritier était pour lui un grand avantage. Ainsi son désir d'être le prochain duc avait toutes les chances d'être exaucé.

En entrant dans sa chambre, le duc eut l'impression que Lavela lui suggérait de faire une prière pour remercier la Providence de l'avoir préservé à temps. C'est-à-dire avant qu'il ne demande à Fiona de devenir sa femme, ainsi qu'il l'avait sérieusement envisagé à son retour de Hollande.

Dans sa chambre, son valet l'attendait, mais dès qu'il fut parti, le duc prit conscience qu'il lui fallait encore affronter une épreuve. Et il avait très peu de temps pour trouver une parade.

Fiona devait déjà l'attendre.

Elle serait très étonnée et surtout très méfiante s'il n'allait pas maintenant la rejoindre. Or, il n'avait aucunement l'intention de le faire.

Il savait qu'elle n'hésiterait pas à venir dans sa propre chambre si l'attente se prolongeait trop.

La meilleure solution était de s'enfermer à clef. Mais il s'avisa qu'elle pourrait frapper et il y avait toujours un risque que quelqu'un l'entende.

Dans ce cas, les Robertson se feraient une joie de répandre la nouvelle, et les Bredon aussi.

Avec une rapidité d'esprit qui l'avait déjà tiré d'un certain nombre de mauvais pas en politique, le duc prit sa décision.

Comme il détestait qu'il fasse froid dans les chambres, des ordres étaient donnés pour qu'en hiver toutes les pièces, habitées ou non, soient chauffées.

Deux domestiques étaient chargés de maintenir en état tous les feux du château. Cette activité les occupait du lever du jour jusqu'à une heure avancée de la nuit.

Le duc se rendit donc tout simplement un peu plus loin dans le couloir, dans une chambre inoccupée.

Le feu ronflait dans l'âtre.

Une fois dans la chambre, il ferma la porte à clé et se mit au lit.

Le lendemain matin, il pourrait toujours dire à son valet qu'il avait changé de chambre parce que la cheminée fumait.

Avant même de s'endormir, il avait déjà oublié Fiona. Il préférait penser à son théâtre et à la voix de Lavela.

Il avait eu une nouvelle idée pour l'introduction du spectacle et il voulait en discuter avec le pasteur.

Au moment de sombrer dans le sommeil, une autre mélodie lui traversa l'esprit. Cette fois, c'était un air pour le prélude. On pourrait le jouer dès que le public aurait pris place.

Le lendemain matin, le duc avait quitté la maison avant que Fiona et Isabelle Henley ne fussent descendues.

Les Robertson et les Bredon prirent leur petit déjeuner à neuf heures.

M. Watson, en l'absence du duc, leur demanda ce qu'ils avaient envie de faire.

Ils répondirent qu'ils aimeraient monter à cheval, sauf Lady Bredon qui, elle, préféra se retirer pour écrire quelques lettres.

— Plus tard, cet après-midi peut-être, ajouta-t-elle, j'aimerais emprunter une voiture pour rendre visite à quelques-uns de mes amis.

Quand les autres furent partis pour leur promenade à cheval, M. Watson lui montra la liste des invités au déjeuner et au dîner, comme le lui avait recommandé le duc. La plupart d'entre eux avaient également accepté de passer la nuit au château.

— Qu'est-ce qui a bien pu pousser tout à coup le duc à recevoir ainsi la terre entière ? demanda lady Bredon avec son franc-parler habituel.

— Je pense que Monsieur le Duc s'est beaucoup ennuyé pendant son voyage en Hollande, Madame la Comtesse, et un bon nombre de ces invités ne sont pas venus à Moor Park depuis longtemps.

— Si ce n'est pas une fois, c'est au moins cent fois que j'ai dit à Sheldon d'organiser une garden-party l'été comme le faisait son père, et de se débarrasser ainsi de toutes ses obligations d'un seul coup.

– Je suis sûr que c'est une bonne idée, Madame la Comtesse, approuva M. Watson.

– En plus, continua lady Bredon, il devrait donner régulièrement des soirées comme celle que nous allons avoir ce soir.

Elle s'arrêta un moment, sourit et dit :

– Je sais que nos amis de la région seront ravis de se trouver en compagnie des élégants amis londoniens de mon cousin.

M. Watson évita avec tact de dire l'évidence : les amis londoniens du duc se souciaient comme d'une guigne des « provinciaux »! Au lieu de cela, il pria lady Bredon de lui communiquer les réponses au fur et à mesure qu'elles arriveraient. Il la pria aussi d'organiser le plan de table.

C'était le duc, naturellement, qui lui avait dit exactement tout ce qu'il fallait faire, avant de partir à cheval vers Little Bedlington, heureux comme un petit garçon faisant l'école buisson-nière.

Sheldon arriva au presbytère avant l'heure du rendez-vous, mais Lavela était là pour l'accueillir.

– Vous êtes vraiment venu! s'écria-t-il. Quand j'ai raconté vos projets à maman, elle a pensé que nous plaisantions.

– Je vais annoncer moi-même à votre mère que je suis très sérieux au contraire, dit le duc en entrant dans le presbytère.

Il fut surpris, sans le montrer bien sûr, d'y trouver d'aussi beaux meubles.

Il était évident que le pasteur avait extrêmement bon goût. Les rideaux et les tapis étaient superbes, et il y avait quelques tableaux que le duc aurait bien aimé posséder lui-même.

Il découvrirait bientôt la personne à l'origine de tout cela en faisant la connaissance de Mme Ashley après avoir travaillé avec le pasteur et Lavela sur le programme de la représentation.

Le premier objectif était de se conformer au souhait exprimé par le duc de n'avoir recours qu'à des habitants de Little Bedlington.

Naturellement, cela dépendait beaucoup de l'acceptation ou du refus de Maria Colzaio de participer au spectacle. Le pasteur avait bon espoir et il avait organisé une rencontre avec elle après le déjeuner.

Le duc s'assit devant l'excellent piano à queue qui se trouvait dans le salon du presbytère et commença à jouer.

– Qu'est-ce que c'est? demanda le pasteur.

– C'est le *prélude*. J'ai écrit un morceau pour deux pianos, Lavela à l'un et moi à l'autre.

– Merveilleux! s'exclama Lavela. Mais... en serai-je capable?

– Voilà une question que je pourrais me poser moi-même! répondit le duc.

Elle se mit à rire.

– Vous faites le modeste maintenant! Vous jouez exceptionnellement bien, tandis que moi je ne suis qu'une débutante.

– Je ne veux pas entendre ces sornettes. Vous jouerez avec moi et j'ai déjà dans la tête une nouvelle mélodie qui devrait plaire à tout le monde.

– Il me faudra le temps de l'étudier, dit Lavela d'une voix étranglée.

– Je vous promets de la terminer ce soir, répondit le duc.

– Comment voyez-vous le déroulement de la représentation? s'enquit le pasteur.

– Tout d'abord, vous apparaîtrez en scène devant le rideau pour dire quelques mots d'accueil aux invités et leur souhaiter une bonne soirée. Puis vous leur réciterez un poème annonçant le programme.

Il sourit avant d'ajouter :

– Depuis que je connais votre goût pour le théâtre, je suis sûr qu'en cherchant bien, vous trouverez sûrement quelques costumes qui conviendront.

– Je peux m'habiller en Arlequin ou en courtisan du règne de Charles II. J'ai même la perruque et la moustache!

Le duc éclata de rire.

– Je vous laisse le choix.

– Qu'est-ce qui se passe ensuite? demanda Lavela, qui semblait passionnée.

– Le rideau se lève et la chorale d'enfants chante le cantique que vous leur avez appris.

— Seulement la chorale?

— Vous les dirigerez de la fosse d'orchestre de façon à ce que le public ne vous voie pas. Sur la scène, il n'y aura que les enfants.

Lavela hocha la tête et le duc continua :

— Je pense qu'il faudra que vous fassiez chanter dans la chorale quelques-uns de mes neveux et nièces qui viendront pour Noël. Ils seraient déçus de ne pas participer au spectacle.

— Bien sûr! acquiesça Lavela, mais j'aimerais bien répéter au moins une fois avec eux.

— Je peux vous les envoyer ici, dit le duc, mais j'ai un nouveau plan pour la nuit de l'inauguration.

Il expliqua alors qu'il trouvait plus judicieux de proposer aux enfants et à leurs mères de passer la nuit à Moor Park.

Lavela battit des mains.

— C'est la meilleure idée que j'aie jamais entendue! Ils vont être si contents, si excités! Mais croyez-vous qu'il y aura assez de chambres?

— Ils s'installeront dans l'aile Est qui contient plus de vingt lits, répondit le duc en riant.

— Excusez-moi. J'avais oublié la taille du château.

— Rien ne pourra faire plus plaisir à mes paroissiens, approuva le pasteur. C'est très généreux de votre part, Monsieur le Duc.

— Je ne suis qu'un égoïste, répondit le duc. Vous savez aussi bien que moi que ce sont Lavela et Maria Colzaio, si elle accepte, qui feront de cette soirée la plus sensationnelle qui ait jamais été donnée au château!

— Je me sentirais... affreusement mal... si vous étiez... déçu, dit Lavela.

Elle paraissait si inquiète que le duc dit rapidement :

— Je sais d'avance que personne ne sera déçu et que petits et grands apprécieront également cette soirée.

— Fasse le Ciel que vous ne vous trompiez pas! murmura Lavela.

— Ensuite, continua le duc, ce sera le tour des joueurs de carillon. Je vous demande seulement, mon révérend, de veiller à ce qu'ils interprètent des airs joyeux du folklore de Noël, que le moins mélomane des assistants pourra reconnaître.

Le pasteur s'esclaffa.

— Vous voulez dire, Monsieur le Duc, qu'ils doivent être plutôt populaires?

— Exactement.

— Ils feront certainement de leur mieux, dit le pasteur en souriant. Inutile de vous décrire leur enthousiasme.

— Qu'est-ce qui est prévu après cela? demanda Lavela, qui avait hâte qu'on parle de son propre rôle.

— Après, c'est votre scène pour laquelle il me reste encore à trouver deux jeunes filles, l'une pour offrir des fleurs à Maria Colzaio, l'autre pour lui demander conseil à propos d'une affaire de cœur.

– Je pense que j'en connais une qui fera l'affaire, dit Lavela. La fille du docteur, qui a dix-sept ans, est très intelligente. Elle jouera certainement ce rôle à la perfection.

– J'en suis sûr, en effet, dit le pasteur. Elle a déjà joué une « étoile brillant dans la nuit » dans le tableau vivant de la crèche que nous donnons chaque année à Noël. De plus, elle s'est taillé un franc succès dans le rôle de Juliette quand notre école a monté *Roméo et Juliette* il y a quelques mois.

Le duc en resta muet.

Il n'existait certainement aucun autre village sur ses terres où les enfants étaient capables de monter une pièce de Shakespeare.

– Et ensuite ? demanda le pasteur.

– Je voulais demander à Lavela si les enfants connaissaient un autre noël aussi bien que *Il est né le divin Enfant* !

– Bien sûr, ils en connaissent beaucoup d'autres, répondit Lavela, mais je pense que le meilleur, c'est *Ô petite ville de Bethléem.*

– Magnifique ! Ils pourront le chanter et vous les dirigerez de nouveau depuis la fosse d'orchestre. Puis le Père Noël, moi en l'occurrence, arrivera sur un traîneau tiré par quatre de mes valets.

Il s'arrêta un instant avant de continuer :

– Le traîneau sera rempli de cadeaux pour toutes les personnes présentes dans la salle. Je donnerai les paquets aux enfants qui descendront de la scène pour les offrir au public.

Il continua en regardant le pasteur :

– Pendant cette distribution, j'ai besoin d'un chœur de voix d'hommes pour chanter des cantiques de Noël connus de tous. Vous devez bien en avoir un à Little Bedlington.

Lavela se mit à rire.

– Comment savez-vous que Papa a une chorale d'hommes ?

– Vous m'avez dit que votre père avait une belle voix et il m'est difficile de croire qu'il chante tout seul dans son église.

Le pasteur éclata de rire à son tour.

– Vous avez raison, Monsieur le Duc ! Nous avons six hommes qui chantent vraiment très bien. Et nous ne chantons pas seulement à l'église, nous allons aussi à l'auberge du village pour fêter la nouvelle année.

Le duc leva les bras au ciel.

– C'est extraordinaire que j'aie ignoré tout cela aussi longtemps ! Dorénavant, Little Bedlington va devenir un modèle pour tous les autres villages du domaine.

– Je vais me faire mal voir, dit le pasteur d'un ton lugubre.

– Est-ce que cela a de l'importance ? demanda le duc. Peut-être vais-je donner l'exemple et inciter les autres propriétaires à encourager les talents musicaux sur leurs terres.

– C'est certainement une très bonne idée, répondit le pasteur. Et cela pourra sans doute nous aider à remplir davantage nos églises.

Le duc n'avait pas envie d'aborder ce sujet. L'église de sa paroisse était tout près du château et cependant, quand il recevait des amis pour le week-end, il négligeait souvent l'office du dimanche matin.

– Une chose est sûre, dit Lavela, nous devons commencer à travailler tout de suite et je vais annoncer aux enfants quand ils viendront à l'église, tout à l'heure après l'école, qu'ils vont jouer dans un spectacle à Moor Park et qu'ils y coucheront.

– Je pense que plus personne ne manquera une répétition de ta chorale quand tu leur auras annoncé cela, dit le pasteur en souriant.

Le duc s'assit alors au piano pour jouer à Lavela son *prélude*.

Quand il eut fini, elle se mit à son tour au piano et joua le morceau brillamment, en n'hésitant qu'une seule fois.

– Il faudra que nous répétions avec les deux pianos, dit le duc. Je suppose que vous n'en avez pas un autre ici?

– Malheureusement non, répondit Lavela.

Le pasteur avait quitté la pièce.

Le duc savait bien qu'elle aurait espéré venir à Moor Park pour répéter dans la belle salle de musique. Cependant, il craignait les mesquineries dont Fiona pouvait être capable et il était décidé à rester, dans la mesure du possible, loin du château.

– Je ferai livrer un piano ici demain, dit-il. Ce

sera un piano droit. Il faudra aussi que je fasse installer sur la scène les deux pianos à queue dont nous aurons besoin pour notre duo.

— Ils ne tiennent pas dans la fosse d'orchestre? demanda Lavela.

Il hocha la tête.

— Non, il y a déjà un piano droit.

— Je comprends, dit Lavela.

— Je préférerais venir ici pour les répétitions, continua le duc, pour la simple raison qu'il y a beaucoup d'invités chez moi. Je ne veux pas qu'ils entendent la moindre note de musique avant la soirée d'inauguration du théâtre.

— Non, bien sûr, et je suis certaine que mes parents seront ravis que vous veniez ici autant que vous voudrez.

Le pasteur et sa femme confirmèrent ce qu'elle venait de dire.

Mme Ashley était arrivée juste avant le déjeuner et le duc n'avait pas été surpris de découvrir qu'elle était très belle.

Il avait l'impression qu'elle n'était pas anglaise. Son anglais était parfait, mais quelque chose en elle lui faisait penser qu'elle venait d'un autre pays.

Il se rendit très vite compte que, sans être timide, elle était d'une extrême réserve. Pourtant, pendant le déjeuner, elle fut une hôtesse accueillante et extrêmement agréable.

Elle était si belle et le pasteur était si séduisant qu'il n'était pas étonnant que leur unique enfant soit aussi jolie. Mais cela n'expliquait pas son air angélique.

« Si ce n'est, pensa le duc, que le pasteur et sa femme ont l'air très amoureux l'un de l'autre. »

Il avait trop d'expérience pour ne pas remarquer la douceur de leurs voix lorsqu'ils se parlaient et l'expression de leurs yeux lorsqu'ils se regardaient.

Quel comportement extraordinaire après autant d'années de mariage!

Cela lui rappela l'amour qu'avaient éprouvé ses parents l'un pour l'autre. A chaque séparation, ils étaient complètement perdus.

Quand ils étaient ensemble, à leur façon de se regarder et de se parler, même les moins observateurs ne pouvaient que se rendre à l'évidence, ils s'aimaient comme au premier jour.

« Je voudrais tant connaître un bonheur aussi parfait », pensa le duc.

Pourtant, il savait bien qu'avec son titre il lui était difficile de prétendre être aimé uniquement pour lui-même. Ses espérances étaient sans cesse déçues comme elles venaient de l'être par Fiona. Il y avait de quoi être déprimé.

Il repoussa donc ces idées noires en concentrant son attention sur la conversation, qui était étonnamment intéressante.

Le repas aussi était délicieux. Les plats faisaient montre de tant d'imagination qu'ils auraient très bien pu avoir été préparés par le chef cuisinier du château.

116

A la fin du repas, le duc dit à Mme Ashley :

– J'espère que vous ne trouverez pas déplacé que je vous dise combien j'ai apprécié ce déjeuner, un régal de saveurs et d'originalité.

Avec un sourire enjôleur, il continua :

– Pour moi qui ai beaucoup voyagé, il ne fait aucun doute que les Français font la meilleure *cuisine* du monde, alors que les Anglais se contentent de ce qui est simple et naturel.

Le pasteur éclata de rire.

– C'est certainement vrai, Monsieur le Duc, mais je dois vous dire que j'ai beaucoup voyagé et que j'ai appris à devenir *gourmet*. Si elle en avait envie, ma femme pourrait ouvrir un restaurant et elle aurait un succès fou.

Le duc leva les sourcils.

– Votre mari veut-il dire que c'est vous qui avez préparé ce repas ? demanda-t-il à Mme Ashley.

– En partie seulement, répondit-elle. J'ai appris à deux femmes du village qui travaillent au presbytère à cuisiner à la fois les plats préférés de mon mari et aussi ceux qui me plaisent à moi.

– Je ne suis pas près de m'en remettre ! s'exclama le duc. Si vous continuez à m'étonner par les talents exceptionnels de Little Bedlington, je vais quitter Moor Park pour venir vivre ici parmi vous.

– Vous seriez le bienvenu, répondit le pasteur, mais je pense que vous vous y sentiriez un peu à l'étroit.

117

— Mais comme ce serait romantique, s'exclama Lavela, si un duc habitait dans une de nos chaumières !

— Malheureusement, je crois que des centaines de gens m'imiteraient et que ce charmant village se transformerait vite en une affreuse ville.

Pendant qu'ils riaient en imaginant cela, Mme Ashley disparut.

Le pasteur déclara alors qu'il était temps d'aller chez Maria Colzaio et ils partirent dans la voiture du duc.

Sheldon se surprit à penser qu'il n'avait jamais autant apprécié un repas. Le déjeuner servi à ses invités à Moor Park n'avait certainement pas été aussi raffiné.

Quand les chevaux se furent mis au trot, le duc dit au pasteur, qui était assis à ses côtés :

— Depuis que j'ai vu votre femme et votre fille si belles, vous devez vous douter, mon révérend, que je me demande pour quelle raison vous vivez ainsi retirés à la campagne.

Le pasteur ne répondit pas tout de suite.

Le duc se rendit compte qu'il avait été indiscret.

Après un silence qui parut très long, le pasteur répondit :

— Il y a des raisons qui nous obligent à agir ainsi, Monsieur le Duc, et je suis sûr que vous comprendrez que ce sont des raisons d'ordre privé. Nous sommes très heureux ainsi et c'est un sujet que je préfère éviter.

– Je comprends et je vous prie d'excuser mon indiscrétion, dit vivement le duc.

– Ce n'est pas grave. A vrai dire, je suis ravi que Lavela ait l'occasion de sortir de cette monotonie quotidienne en participant à votre spectacle et que des mélomanes avertis puissent apprécier sa voix.

Le pasteur s'arrêta un instant avant de poursuivre :

– Ce qui nous satisfait pleinement, ma femme et moi, risque de devenir à la longue un peu frustrant pour une jeune fille.

– Je comprends, dit le duc, et je vous promets, mon révérend, de faire en sorte que Lavela ne s'ennuie pas. En tout cas, pendant ces fêtes de Noël

– Je vous en remercie.

Ils poursuivirent leur chemin.

Le duc était conscient qu'il ne pouvait rien demander de plus. Cependant, il était très intrigué.

Il fallait à tout prix qu'il découvre la vérité sans causer, bien sûr, de tort à personne.

CHAPITRE V

Les jours suivants, le duc pensa qu'il s'était organisé de façon très astucieuse.

Il quittait la maison de bonne heure chaque matin pour aller faire une virée sur son pur-sang. Puis il se rendait à Little Bedlington à cheval ou en voiture.

Naturellement, il avait réussi à persuader Maria Colzaio de participer au spectacle. Elle lui avait même proposé son salon pour qu'ils puissent tous trois répéter confortablement sans être dérangés. Ce salon était une belle pièce avec un superbe piano à queue sur lequel le duc adorait jouer.

Comme l'avait dit le pasteur, la voix de Maria Colzaio n'était plus ce qu'elle avait été dans le passé. Mais elle avait toujours cette belle tonalité chaude qui l'avait rendue célèbre.

Après avoir montré un peu de nervosité le premier jour, elle confia au duc :

— Cela me fait réellement plaisir et, permettez-moi de vous dire, Monsieur le Duc, que c'est un vrai bonheur d'avoir un accompagnateur tel que vous.

– Je crois que c'est une des expériences les plus passionnantes que j'aie jamais vécues, répondit le duc, vous entendre chanter une de mes propres compositions dépasse tout ce que j'aurais pu imaginer dans mes rêves les plus fous.

Par contraste, le duc trouvait émouvante la voix de Lavela, si jeune et si claire. Il savait qu'au moment où elle apparaîtrait devant le public, et spécialement devant le prince et la princesse de Galles, elle ferait sensation.

Il avait volontairement évité de donner aux Ashley et à Maria Colzaio le nom de ses principaux invités.

Il avait peur que cela donne le trac à Lavela. Il craignait également que cela ne contarie Maria Colzaio qui désirait encore garder l'anonymat. C'est pourquoi il leur avait simplement dit qu'elles chanteraient devant les invités de sa réception de Noël.

Il avait dit la même chose aux mères des enfants de la chorale dont la place était réservée dans les derniers rangs de l'orchestre.

Finalement, cinq mamans seulement passeraient la nuit à Moor Park, car certaines d'entre elles ne voulaient pas quitter leurs autres enfants encore trop jeunes.

– Vous ne pouvez pas savoir quel remue-ménage vous avez provoqué! dit Lavela au duc. Si vous aviez lancé une bombe en plein village, cela n'aurait pas causé de plus grand émoi!

Quand elle ne répétait pas, Lavela s'occupait

du choix des vêtements des enfants pour le grand jour.

Le mieux serait qu'ils mettent leurs habits du dimanche. Et ils confectionnèrent de leurs mains la petite couronne de gui qu'ils porteraient nouée sur la nuque avec un ruban rouge.

Pour compléter le tout, elle décida que chaque enfant tiendrait à la main un petit bouquet de gui et de houx.

– Quelle idée j'ai eue là, se plaignit-elle au duc. J'ai dû ôter les piquants des feuilles de houx et mes doigts sont tout écorchés.

– Je pensais que les anges étaient insensibles à la douleur! la taquina-t-il.

– Alors, je dois venir d'un endroit qui n'a rien à voir avec le Paradis! répliqua Lavela.

Tout était prétexte à s'amuser pendant les répétitions avec Maria Colzaio. Et le duc en repartait si gai qu'il lui arrivait d'oublier Moor Park et ses difficultés.

Le soir, en regagnant sa chambre et en voyant son lit défait, le duc comprit que Fiona était venue l'y attendre. Donc, par la suite, il ferma sa porte à clef.

Grâce à M. Watson, à qui il avait laissé des consignes précises, les chambres de Fiona et d'Isabelle Henley furent déménagées. Elles ne donnaient plus sur le même couloir que la sienne.

A leur retour de promenade en voiture, le lendemain de leur arrivée, M. Watson le leur avait annoncé en s'excusant de ne pas avoir pu les prévenir avant.

« Que voulez-vous dire par là ? » avait demandé Fiona d'un ton très sec.

– Deux proches parentes du duc arrivent demain, Madame la Duchesse, avait-il répondu.

– Quel rapport avec moi et avec *ma* chambre ?

– *Votre* chambre, comme vous l'appelez, Madame la Duchesse, a toujours été celle de la duchesse douairière, la grand-mère de Monsieur le Duc, et celle occupée par lady Henley a toujours été celle de la tante de Monsieur le Duc, la marquise de Seaford.

Les deux visiteuses venues sans être invitées n'avaient absolument rien pu répondre à cela.

Evidemment, cela avait mis Fiona hors d'elle, d'autant plus qu'elle bouillait déjà de colère, car elle n'avait pas encore eu l'occasion de se trouver en tête à tête avec le duc.

Le matin, il était toujours parti avant qu'elle ne descendît. Et, à son grand étonnement, il ne rentrait même pas déjeuner, bien qu'un grand nombre d'invités soient déjà arrivés.

Lady Bredon remplissait son rôle d'hôtesse et Fiona ne pouvait que s'incliner.

Le soir, après son retour de Little Bedlington, quand le duc descendait pour le dîner, il veillait à ce que beaucoup d'invités fussent déjà installés dans le salon avant d'apparaître.

Il priait alors tout le monde d'excuser son retard, expliquant qu'il travaillait à l'organisation de la réception de Noël. Prudent, il s'efforçait de donner le minimum d'informations sur ce qui allait se passer.

— Je voudrais vous voir en particulier, susurra Fiona à son oreille pendant que les messieurs se dirigeaient vers le fumoir.

Les invités étaient, ce soir-là, plus nombreux que jamais.

— Bien sûr, acquiesça le duc en souriant, mais je ne vois vraiment pas quand.

Fiona retint son souffle. Au moment où elle allait lui dire que la réponse était l'évidence même, il la planta là.

Il devait s'occuper de placer ses invités aux tables de bridge.

Un orchestre installé dans une pièce qu'on appelait généralement la « petite salle de bal » avait attiré les plus jeunes.

Le duc les regarda virevolter au son d'une valse endiablée et se dit soudain que Lavela aurait bien aimé être là.

« J'aurais dû l'inviter », pensa-t-il.

Il ne l'avait pas fait simplement parce qu'il ne voulait pas gâter l'effet de surprise que provoquerait son apparition sur scène dans le rôle de l'ange.

Il se reprocha son égoïsme : n'avait-il pas promis à son père de la distraire ?

Le jour de Noël, Lavela tint l'orgue dans l'église de son père. Quant au duc, la tradition voulait qu'il prît place sur le banc de famille dans l'église de sa paroisse.

Il lut un passage des Saintes Écritures et écouta le sermon du pasteur qui se trouvait être également le chapelain du château. Il lui avait demandé d'être bref et l'homélie ne dura pas plus de dix minutes.

Une fois rentrés à Moor Park, les invités prirent place autour de la grande table qui se trouvait au milieu de la salle de banquet, et les plus jeunes autour de deux tables plus petites que lady Bredon avait fait installer.

Il y avait de la dinde au menu ainsi que du *Christmas pudding* que le chef apporta lui-même pour le flamber au cognac.

Naturellement, des pétards fusèrent et le champagne coula à flots pour boire à la santé du duc.

Sheldon fit un discours rapide où il rendit hommage à sa grand-mère. Il mentionna aussi quelques-uns de ses parents les plus âgés qui furent touchés de cette attention.

Ensuite, les messieurs s'installèrent dans les fauteuils pour boire porto ou cognac tout en faisant assaut de bonnes histoires.

Comme le voulait la tradition, le duc reçut dans la soirée ses fermiers et ses employés, dans la salle des gardes.

Sa grand-mère présida elle-même la réception.

Ses neveux et nièces offrirent de la part de leur oncle un cadeau à tous les assistants. C'était une coutume qui datait de l'arrière-grand-père du duc et depuis, c'était devenu une tradition dans la famille.

Puis la chorale du village chanta des noëls.

De l'avis du duc, ils étaient loin de chanter aussi bien que les enfants de Little Bedlington.

Après tout cela, la plupart des gens étant fatigués, il n'y eut pas d'autres festivités pendant la soirée.

L'après-midi, le duc avait organisé une répétition avec les hommes de la chorale masculine du pasteur Ashley, auxquels il fallait encore trouver des costumes pour chanter le finale du spectacle, le samedi soir.

On en avait déniché quelques-uns à Little Bedlington mais le duc avait dû aussi fouiller ses greniers. Pour faire confectionner les autres tenues dont il avait besoin, il avait fait appel à la lingère du château qu'il était allée voir avec M. Watson.

Le lendemain de Noël, le duc arriva de bonne heure au presbytère, chargé de cadeaux.

Il en avait choisi un tout spécial pour Lavela. Il était certain qu'elle l'apprécierait. C'était une tabatière qu'il avait achetée chez un des antiquaires de luxe de Bond Street.

A l'époque, il s'était demandé à qui il pourrait bien l'offrir puisque Fiona n'aimait que les bijoux.

Cette tabatière en émail était décorée en son centre d'une miniature de petits amours tenant une couronne de roses. Le travail en était très délicat et la miniature était entourée de petits diamants et de perles.

Quand Lavela découvrit ce cadeau, elle écarquilla les yeux, ne pouvant croire que cet objet lui était destiné.

Puis elle demanda :

— C'est... c'est... pour... moi ?

— J'ai pensé, lorsque vous avez admiré ma collection de bibelots, que vous auriez peut-être envie de commencer votre propre « caverne d'Ali Baba ».

Pendant un instant, elle resta silencieuse. Puis elle dit d'une petite voix tremblante qui révéla au duc combien elle était émue :

— Comment pourrais-je vous remercier... ou trouver les mots pour vous dire que c'est le plus bel objet que j'aie vu de ma vie et surtout possédé !

— Je pensais que cela vous plairait et je tenais à vous remercier d'être une aussi merveilleuse interprète des mélodies que j'ai composées.

Comme il avait souvent été invité à déjeuner au presbytère, il avait apporté au pasteur un foie gras préparé par son propre chef, du caviar et une caisse de champagne.

128

– Je n'ai pas eu le plaisir de manger de caviar depuis mon voyage en Russie! s'exclama le pasteur.

– Vous êtes déjà allé en Russie? demanda le duc avec étonnement.

– J'ai visité ce pays il y a fort longtemps et j'en suis revenu par les pays scandinaves.

En disant cela, il échangea avec sa femme un regard qui n'échappa pas au duc.

Manifestement, c'était là une pièce du puzzle qu'il essayait de reconstituer.

Il n'avait pas posé de nouvelles questions au pasteur depuis l'autre jour. Cependant, il était toujours aussi intrigué. Il mourait d'envie de savoir pourquoi un homme aussi intelligent et une femme aussi belle s'enterraient à Little Bedlington. Pourtant, ils étaient heureux, cela ne faisait aucun doute.

A vrai dire, à part ses propres parents, il n'avait jamais rencontré deux êtres aussi heureux de vivre ensemble.

Il se rappela qu'il devait présenter à Lavela des personnes plus cultivées que les gens du village et les enfants de la chorale.

Toute la famille Ashley fut enchantée des cadeaux que le duc avait apportés. En particulier Mme Ashley, qui avait reçu une ombrelle très élégante.

Le duc dit alors :

– Maintenant que vous en avez terminé avec vos cérémonies de Noël, j'aimerais que vous

129

veniez dès ce soir à Moor Park, tous les trois, et que vous y restiez jusqu'à dimanche prochain.

Le pasteur le regarda d'un air étonné et le duc continua :

— Il y a en ce moment au château quelques jeunes gens de la famille que j'aimerais faire rencontrer à Lavela. Je pense aussi qu'il faudrait que nous répétions au moins une fois là-bas. Comme vous le savez, mon révérend, un salon, aussi grand soit-il, n'est pas une scène.

— Vous avez tout à fait raison et je comprends votre point de vue, Monsieur le Duc, acquiesça le pasteur, cependant...

— Oh! s'il vous plaît, Papa, interrompit Lavela, allons-y! Quelle catastrophe ce serait si nous n'étions pas au point le soir de l'inauguration!

— C'est vrai, admit le pasteur en regardant sa femme d'un air interrogateur.

— C'est une bonne idée, bien sûr, Andrew, dit-elle, et je pense que Lavela et vous devriez y aller. Mais moi, je resterai ici et je n'irai à Moor Park que samedi soir.

— Tel est vraiment votre désir? demanda le pasteur à voix basse.

Sa femme hocha la tête et il dit :

— Très bien! Je partirai donc avec Lavela mais je reviendrai pour l'office de vendredi.

— Mes chevaux sont à votre disposition, mon révérend, dit aussitôt le duc, et bien sûr j'enverrai une voiture chercher Mme Ashley de bonne heure avant la soirée de samedi.

130

Tout était à présent parfaitement arrangé.

Lorsque Maria Colzaio – il était décidément impossible de penser à elle sous un autre nom – déclara qu'elle viendrait en même temps que Mme Ashley, le duc ne fit aucune objection. Elle n'avait pas besoin de répéter avec les autres. Personne n'était plus apte qu'elle à se sentir à l'aise sur une scène.

Après ces dernières mises au point, il retourna en toute hâte à Moor Park pour rejoindre la partie de chasse de Noël qui était une autre tradition établie depuis longtemps dans sa famille.

Ses amis s'étaient étonnés qu'il eût manqué les deux premières battues mais, heureusement, il était présent pour la troisième.

Après le déjeuner, il y eut encore deux battues pendant lesquelles le duc se montra un brillant fusil.

Il avait été fâché d'avoir eu à modifier les places des chasseurs. Car Jocelyn, qui était en surnombre, n'avait à aucun moment proposé de quitter Moor Park. Au contraire, il avait insisté pour participer à la chasse.

Mais, d'une certaine façon, le duc était responsable de la présence prolongée de Jocelyn à Moor Park. En effet, chaque fois que son cousin avait essayé de lui parler seul à seul, il s'était toujours arrangé pour l'éviter au dernier moment.

Le duc avait l'impression que Jocelyn et Fiona

complotaient quelque chose. Il les avait surpris à plusieurs reprises en train de chuchoter ensemble avec des mines de conspirateur. Bien sûr, il ne se faisait aucune illusion sur la teneur de leurs propos, vraisemblablement très désobligeants à son égard. Cependant, tous deux essayaient avec un fol acharnement d'avoir un contact personnel avec lui.

Le jour de Noël avait été spécialement pénible pour le duc car il avait passé toute la journée au château.

Maintenant, les invités n'avaient que la chasse en tête et il lui était plus facile de les éviter.

Il avait espéré, contre toute attente, que Fiona perdrait patience et quitterait le château avant l'arrivée du prince et de la princesse de Galles. Mais elle était d'une trempe à ne pas lâcher prise aussi facilement.

Le 25 décembre s'était produit un incident tout à fait révélateur.

Après le déjeuner, le duc avait rejoint les dames au salon pendant quelques minutes.

Il s'était d'abord dirigé vers sa grand-mère assise auprès du feu.

« J'espère que vous êtes contente, Grand-Mère, avait-il dit en se penchant pour l'embrasser.

— C'est le meilleur Noël que j'aie jamais passé, avait répondu la duchesse douairière. Mais il y a un toast que j'aurais aimé ajouter à ceux que nous venons de porter au cours du déjeuner.

— Lequel?

132

– Un toast à ton fils et héritier, mon cher petit. »

Le duc se demandait encore ce qu'il allait répondre quand il s'était aperçu que Fiona était à ses côtés.

Pendant un instant, leurs regards s'étaient croisés.

Cela avait suffi pour que tout fût clair : ils savaient tous deux qu'elle ne pouvait pas avoir d'enfants.

Ils avaient vécu dans une si grande intimité et pendant si longtemps qu'il devinait ses pensées. La réciproque était vraie, elle aussi savait ce qu'il pensait.

Pendant un instant, ils s'étaient regardés fixement l'un l'autre. Puis le duc s'était penché pour embrasser sa grand-mère et il était sorti de la pièce.

A la fin de la chasse, le duc fut félicité par tous ceux qui y avaient participé.

La journée avait été très sportive et, après le thé, la plupart des invités se retirèrent dans leur chambre pour se reposer avant le dîner.

Le duc, lui, se rendit à la salle de musique avec Lavela qui venait d'arriver.

Sans qu'elle s'en rendît compte, il ferma la porte à clef pour qu'ils ne soient pas dérangés. Puis ils travaillèrent sur les modifications apportées à la partition après les répétitions avec Maria Colzaio.

– C'est parfait! s'exclama Lavela quand ils

eurent terminé. C'est tellement parfait que si vous rajoutiez quoi que ce soit, ce serait comme gâcher une peinture en voulant la fignoler.

— Je suppose que, comme tous les compositeurs, je veux atteindre la perfection.

— Eh bien, vous y êtes parvenu, dit Lavela.

— Maintenant, il est temps d'aller nous habiller pour le dîner, dit le duc, il y aura un bal dans la soirée mais je ne veux pas que vous vous fatiguiez avant le baptême de mon théâtre.

— On le baptise demain? demanda Lavela. Lui avez-vous déjà trouvé un nom?

— Je n'y avais pas pensé mais, bien sûr, nous allons en choisir un.

Ils montèrent l'escalier côte à côte en échangeant des propositions.

Lavela suggérait un nom, le duc un autre, mais aucun ne convenait.

Le duc accompagna la jeune fille jusqu'à sa chambre qui était voisine de celle du pasteur.

Il vit alors, au bout du couloir, deux personnes en grande conversation. C'étaient Fiona et Jocelyn.

Il lui vint soudain à l'esprit que peut-être, ainsi qu'elle l'avait déjà fait, Fiona se consolait avec Jocelyn.

Puis, comme il se trouvait avec Lavela qui rayonnait de pureté, il chassa Fiona de ses pensées.

En plus des jeunes qui séjournaient au château, sur les ordres du duc M. Watson avait invité un certain nombre de jeunes voisins pour la soirée.

Un orchestre était venu de Londres.

La grande salle de bal avait été ouverte et décorée de fleurs cultivées dans les serres du château.

On avait souvent donné de telles réceptions à Moor Park. Mais le duc savait que c'était le premier vrai bal de Lavela.

Elle s'était habillée très simplement. Il pensa que cette robe blanche qui révélait les rondeurs de sa poitrine et la finesse de sa taille était l'écrin idéal pour sa beauté.

« Voilà la robe qu'elle devra porter pour jouer son rôle d'ange », se dit-il.

L'idée lui plaisait.

Alors que Lavela était placée à l'extrémité de la table, très loin de lui, il se surprit à l'observer.

Ses yeux brillaient. Elle riait sans cesse en écoutant ce que lui racontaient les deux jeunes gens assis à ses côtés.

Fiona aussi était très animée, mais d'une manière différente. Il était persuadé qu'elle ne faisait que des remarques à double sens. Chaque regard qu'elle lançait à ses voisins de table, chaque geste qu'elle esquissait étaient chargés de séduction.

Pour la première fois, indépendamment de ce qu'il avait découvert à son sujet, le duc pensa qu'elle n'était pas vraiment à sa place à Moor Park, et qu'il aurait pu s'en rendre compte avant.

Les messieurs ne s'éternisèrent pas à boire leur porto comme ils l'avaient fait la veille.

Le duc remarqua que les jeunes filles, et spécialement Lavela, attendaient fiévreusement que les jeunes gens réservent leurs danses.

Son carnet de bal serait certainement complet.

Le duc l'invita après avoir rempli ses obligations auprès des invitées plus âgées. Lavela rayonnait de joie.

— Je vois que vous vous amusez bien, lui dit-il.

— J'ai des ailes aux pieds! Ce n'est pas la « caverne d'Ali Baba » mais le « palais du Prince », et je n'ai qu'une peur, c'est que tout cela disparaisse quand sonnera minuit.

— Cela m'ennuierait beaucoup, dit le duc en souriant. Et j'espère que, dans la distribution des rôles de votre conte de fées, je serai le Prince Charmant.

— C'est évident! A la différence près que vous tenez en même temps la baguette magique!

Le duc s'esclaffa.

— Tant que je ne suis pas le prince des Ténèbres, cela me convient.

Juste à ce moment-là, Jocelyn passa à proximité.

Le duc pensa que si jamais on avait besoin de quelqu'un pour ce rôle sinistre, le candidat idéal serait son cousin. Et il se prit à espérer que jamais Lavela ne serait confrontée à un être aussi néfaste.

Pour l'instant, elle avait un succès fou. Les jeunes gens la priaient tous de leur réserver une danse. Et quand son carnet fut rempli, ils la supplièrent d'ajouter quelques danses supplémentaires.

Le duc constata que le pasteur semblait passer, lui aussi, une excellente soirée. Il conversait avec la duchesse douairière et avec les invités les plus âgés.

Plusieurs d'entre eux dirent au duc que c'était un homme charmant et lui demandèrent pourquoi ils ne l'avaient jamais rencontré auparavant.

— A cause de ma négligence. Je ne connaissais même pas son existence, expliqua le duc, mais je peux vous assurer que cela va changer.

— Sa fille est ravissante! observa une des tantes. Je suis sûre qu'elle ferait sensation à Londres.

— Cela risquerait de la gâter, répondit vivement le duc.

Quand la soirée prit fin et que l'orchestre joua le *God Save the Queen*, chacun regretta que la soirée se terminât si vite.

Les voisins, avant de rentrer chez eux, supplièrent le duc d'organiser un autre bal aussi vite que possible.

— J'y penserai, promit-il.

Après le bal, en lui souhaitant une bonne nuit, Lavela lui dit :

— Je vous remercie pour cette soirée, la plus belle de ma vie! Les mots sont trop faibles pour vous exprimer mon émerveillement. Mais j'ai l'impression de vous répéter cela sans cesse depuis notre rencontre.

— Maintenant, répondit le duc, nous devons concentrer nos efforts, vous et moi, pour que samedi soir tout le monde trouve la soirée merveilleuse et dise ce que vous venez de dire.

— Bien sûr qu'ils le diront et plutôt cent fois qu'une! s'écria Lavela.

Puis elle monta à l'étage en même temps que son père, tandis que le duc souhaitait une bonne nuit à quelques personnes de sa famille. Les plus âgées s'étaient déjà retirées et il n'y avait aucune trace de Fiona.

« C'est un souci de moins », pensa-t-il.

Après avoir remercié Newman, le maître d'hôtel, que tout se fût passé exactement comme il le souhaitait, lui aussi monta se coucher.

En arrivant dans sa chambre où son valet l'attendait, il s'étonna de n'être pas vraiment fatigué.

Il avait passé une journée très agréable.

Rien ne pouvait lui faire plus plaisir que de voir les yeux de Lavela brillants de joie, étincelants comme des étoiles.

Il tira les rideaux pour contempler le ciel.

Son valet lui dit alors :

— Bonne nuit, Monsieur le Duc. Est-ce que je dois réveiller Monsieur le Duc demain à l'heure habituelle?

– Oui, bien sûr, répondit-il en continuant à regarder les étoiles.

Puis la porte s'ouvrit à nouveau et il trouva agaçant que Jenkins eût oublié quelque chose.

Mais, au son de la voix qu'il entendit derrière lui, il se retourna vivement.

Ce n'était pas Jenkins qui était dans la chambre, mais son cousin Jocelyn.

Comme le duc, en rejoignant sa chambre, Lavela s'aperçut qu'elle n'était pas fatiguée.

Bien qu'il soit deux heures du matin, elle se sentait capable de danser jusqu'à l'aube.

Jusqu'à présent, elle n'avait jamais dansé avec des jeunes gens mais seulement avec son père. Or, elle aimait danser et dansait bien, car Mme Ashley lui avait fait donner des cours de danse deux fois par semaine quand elle était enfant.

Elle n'oublierait jamais le moment où elle avait dansé avec le duc. Il lui avait été si facile de le suivre.

Quand il lui tenait la main, elle avait l'impression qu'il lui transmettait à la fois sa force et son intelligence.

« Il est si merveilleux, pensa-t-elle. Si fantastiquement merveilleux ! Je ne peux pas imaginer qu'il existe un autre homme comme lui au monde ! »

Elle eut envie de prier Dieu pour le remercier

de cette soirée. Et de tous les événements extra-ordinaires qui avaient transformé sa vie depuis que le duc l'avait entendue jouer de l'orgue à l'église.

Chez elle, quand elle éprouvait le besoin de prier, elle pouvait aller à l'église par un passage souterrain. Un pasteur, un peu fragile des poumons, l'avait fait creuser bien des années auparavant pour éviter de s'exposer au froid ou au vent.

A cet instant, Lavela aurait aimé aller dans son église pour prier devant l'autel.

Elle se rappela alors qu'il y avait une chapelle à Moor Park. Son père lui avait dit qu'elle était très belle et la domestique qui était venue préparer son bain lui avait appris que cette chapelle se trouvait derrière le château, pas très loin de sa chambre.

« Y a un office seulement de temps en temps, Mam'selle, vu qu' le pasteur préfère qu'on aille à l'église paroissiale dans le parc.

– J'aimerais bien voir cette vieille chapelle », avait dit Lavela.

D'après son père, elle datait d'une centaine d'années, avant que Moor Park soit agrandi.

« C'est pas difficile, Mam'selle. Si vous descendez l'escalier, vous trouv'rez de l'autre côté du couloir un passage droit d'vant vous et la chapelle est au bout. »

Maintenant, Lavela pensait que, malgré l'heure tardive, elle aimerait y prier.

C'était le lieu qui lui semblait le mieux convenir pour remercier Dieu de tout ce que le duc avait fait pour elle.

Quand elle ouvrit la porte de sa chambre, le couloir était encore éclairé par des chandelles dans des candélabres en argent et il lui fut facile de trouver son chemin jusqu'à l'escalier.

Elle s'engagea sans faire de bruit dans le passage inférieur et arriva devant la porte de la chapelle. Il y filtrait un rai de lumière.

Elle trouva étrange que la chapelle soit éclairée la nuit. Cependant, cela pouvait répondre à la même exigence que les feux entretenus en permanence dans toutes les pièces.

En arrivant devant la porte de la chapelle, elle se rendit compte qu'il y avait quelqu'un à l'intérieur.

Ayant peur de déranger, elle s'arrêta sur place.

Elle entendit alors un homme dire d'une voix dure :

– Vous devez l'épouser, Sheldon, vous n'y échapperez pas.

– Je n'en ai pas la moindre intention.

C'était le duc qui parlait.

Intriguée autant qu'effrayée en voyant qu'il se passait quelque chose d'insolite, Lavela s'approcha un peu.

Maintenant, elle pouvait apercevoir trois personnes devant l'autel. L'une d'elles était le duc, vêtu d'une longue robe de chambre semblable à celle que possédait son père.

Elle reconnut aussi lady Faversham, parée de

bijoux étincelants, et Lavela la trouva suprêmement belle.

De l'autre côté du duc se tenait Jocelyn Moore, qu'elle avait rencontré au cours de la soirée. Mais il ne lui avait pas plu. Bien qu'il fût assez bel homme, au contact de sa main elle avait eu l'intuition qu'il était dangereux.

Elle vit alors qu'il tenait un revolver braqué en direction du duc et elle se retint à grand-peine de crier.

Puis elle s'aperçut que face à ces trois personnes se dressait un autre homme. Elle ne l'avait pas remarqué tout d'abord parce qu'il était de petite taille et d'apparence insignifiante. Il portait un surplis et elle se rendit compte que c'était un prêtre.

— Vous n'êtes pas, Sheldon, dans une situation où vous pouvez refuser d'épouser Fiona, dit Jocelyn du même ton méchant.

— Vous m'avez fait descendre ici en me disant qu'un de mes employés avait eu un accident, répondit le duc. J'ai maintenant l'intention de retourner me coucher et, si vous n'avez pas quitté la maison demain avant le petit déjeuner, je vous ferai jeter dehors.

Jocelyn Moore éclata d'un rire sardonique.

— Croyez-vous vraiment, Sheldon, que vous pouvez me défier alors que je suis face à vous avec un revolver chargé?

— Si vous me tuez, vous serez pendu, et j'ai peine à croire que tel soit votre désir.

142

– Ce que je veux, grogna Jocelyn, c'est que vous épousiez Fiona dont vous avez largement compromis la réputation. Cela m'assurera le titre de troisième duc de Moorminster!

– Qu'est-ce qui vous rend si sûr de vous? demanda le duc.

– Fiona m'a dit que vous aviez découvert qu'elle ne pouvait pas avoir d'enfant et, bien que vous soyez encore jeune, un accident peut se produire qui m'éviterait d'attendre trop longtemps votre enterrement!

– Croyez-vous vraiment que je vais passer ma vie à attendre que vous trouviez le moyen de me faire disparaître? dit le duc d'un ton méprisant.

– Je vous ai déjà dit que vous n'aviez pas le choix et nous sommes en train de perdre du temps. Si vous n'épousez pas Fiona alors que le prêtre est là prêt à vous marier, je n'hésiterai pas à me servir de ce revolver.

– Et à me tuer? demanda le duc d'un ton railleur.

Jocelyn secoua la tête.

– Oh, non! répondit-il. Mais je vous mutilerai de telle façon que vous serez à jamais impuissant et que vous ne pourrez pas avoir d'héritier.

Il crachait presque les mots au visage du duc.

Lavela, affolée et horrifiée par ce qu'elle entendait, se demandait désespérément ce qu'elle pouvait faire pour venir en aide au duc.

CHAPITRE VI

Lavela ne savait que faire. Devait-elle sortir pour courir chercher du secours?

Mais, pendant son absence, le duc n'allait-il pas être marié de force?

Si seulement elle avait pu appeler son père à l'aide, elle était sûre qu'il aurait trouvé une solution.

Alors qu'elle hésitait encore, Jocelyn Moore dit au prêtre :

– Dépêchez-vous! Plus vite ce sera terminé, mieux ce sera.

Le prêtre ouvrit le livre de prières et Lavela comprit qu'il n'y avait plus de temps à perdre.

Sans vraiment réfléchir, elle s'avança vers l'intérieur de la chapelle.

Deux piliers encadraient la porte d'entrée. Sur chacun d'eux se trouvait une statue d'ange aux ailes déployées.

Le duc avait acheté ces sculptures très anciennes et très représentatives de l'art germanique lors d'un séjour en Bavière. Elles étaient peintes dans les tons pastels qui rendent les églises bavaroises si agréables à regarder.

Lavela se glissa derrière l'un des piliers.

Le prêtre commençait le service.

— Mes bien chers frères...

— Laissez tomber tout ce bla-bla, commanda Jocelyn Moore, et venez-en tout de suite à la célébration du mariage.

— Si cet homme sait où est son intérêt, il va refuser de procéder à un mariage totalement illégal, menaça le duc, car je n'hésiterai pas à porter l'affaire devant les tribunaux.

Jocelyn se mit à rire.

— Pour déclencher un scandale? Mon cher cousin, vous savez aussi bien que moi que vous avez toujours redouté tout ce qui pourrait jeter le discrédit sur notre famille.

Il avait prononcé ces mots d'un ton violent et Fiona lui dit :

— Du calme, Jocelyn! Il n'y a pas de raison de perturber Sheldon davantage. Tout ce que je veux, c'est être sa femme.

— C'est ce que vous allez être dans un instant, répondit Jocelyn.

Il se tourna de nouveau vers le prêtre.

— Faites ce pour quoi vous êtes payé, sinon je vous ferai défroquer ou appliquer les punitions qui sont de règle chez vos semblables.

— Je fais de mon mieux, monsieur Moore, répondit le prêtre d'une voix tremblante.

Il tourna deux pages du livre de prières.

C'est juste à ce moment-là que Lavela, qui jusqu'alors priait Dieu de l'aider, sut ce qu'elle devait faire. Elle ressentait toute la détresse que pouvait éprouver le duc à cet instant.

Elle comprit alors, comme s'il venait de lui parler à l'oreille, que le duc essayait de trouver le moyen de frapper son cousin et de le désarmer.

Il fallait inventer n'importe quoi pour en finir avec cette parodie de mariage. Mais, en même temps, elle ne devait pas oublier que Jocelyn, le doigt sur la gâchette, pointait le revolver vers lui en visant au-dessous de la ceinture.

– Oh! mon Dieu! que puis-je faire? Aidez-moi, mon Dieu... je vous en prie... aidez-moi! pria Lavela.

Ce faisant, elle poussa l'ange qui se trouvait devant elle.

Pendant un instant, elle crut qu'il était solidement fixé sur son socle. Mais, l'ayant senti légèrement bouger, elle leva les mains plus haut et appuya de toutes ses forces.

L'ange s'ébranla, bascula, puis s'écrasa sur les pavés du sol dans un fracas retentissant qui se répercuta sur les murs de la chapelle.

Instinctivement, Jocelyn se retourna pour voir ce qui se passait.

C'était l'occasion qu'attendait le duc. De sa main gauche, il se saisit du revolver et le dirigea vers le plafond.

En même temps, rassemblant toutes ses forces, il assena un vigoureux coup de poing au menton de Jocelyn. Un coup de poing magistral digne d'un champion de boxe.

147

Jocelyn trébucha puis tomba à la renverse.

En tombant, il appuya sur la gâchette du revolver et une balle atteignit le plafond. La détonation fit plus de bruit encore que n'en avait fait la chute de l'ange.

A cela s'ajouta le cri strident poussé par Fiona.

La tête de Jocelyn avait heurté le sol de pierre lors de sa chute et il gisait maintenant sans connaissance.

Le duc se baissa pour ramasser le revolver tombé près du corps de Jocelyn. Comme il se redressait, le prêtre se recroquevilla contre l'autel en disant d'une voix tremblante :

— Il m'a forcé à faire cela... il m'a vraiment forcé.

Le duc lui jeta un regard plein de mépris et se tourna vers Fiona.

A ce moment-là, le veilleur de nuit et le valet de pied qui se trouvaient dans le hall d'entrée pénétrèrent en courant dans la chapelle et passèrent devant Lavela sans la voir.

Elle se glissa dans l'ombre d'une travée de la chapelle.

Le veilleur de nuit fut le premier auprès du duc :

— Tout va bien, M'sieur l'Duc ? On vient d'entendre le coup d'feu...

Il regardait le revolver que le duc tenait à la main.

— Personne n'est blessé, dit le duc vivement.

Puis, quand le valet de pied eut rejoint le veilleur de nuit, il demanda :

148

– Comment ce prêtre est-il entré ici?

– Il est v'nu dans une chaise de poste, M'sieur l'Duc. Même qu'elle l'attend dehors.

– Alors, reconduisez-le et mettez M. Jocelyn dans la voiture avec lui, dit le duc.

Le veilleur de nuit et le valet de pied le regardèrent d'un air surpris.

Puis, docilement, ils s'avancèrent vers l'endroit où Jocelyn gisait sans connaissance.

Ils le soulevèrent, l'un par les pieds, l'autre par les épaules.

Le duc les regarda s'éloigner vers la sortie.

D'un geste, il fit signe au prêtre de les suivre. Celui-ci obéit, en passant devant le duc à vive allure, comme s'il avait peur d'être frappé.

Quand il eut disparu, le duc s'adressa à Fiona :

– C'est bien parce que vous êtes une femme et qu'il est tard que je ne vous chasse pas ce soir. Mais vous quitterez cette maison demain matin dès la première heure.

Elle se rapprocha de lui.

– Comment pouvez-vous me traiter ainsi, Sheldon? supplia-t-elle. Je vous aime! Et j'ai toujours désiré devenir votre femme.

– Je me montre magnanime en ne vous obligeant pas à partir avec votre amant, dit le duc sèchement, mais j'espère ne jamais vous revoir.

Pendant un instant, Fiona le regarda fixement. Puis, prenant conscience de ce qu'il disait et qu'il était au courant de ses relations avec Jocelyn, ses yeux cillèrent.

Vaincue, elle sortit la tête haute.

Ce n'est que lorsqu'elle eut disparu que le duc appela doucement :

– Lavela !

Il scrutait du regard le coin obscur où elle se cachait.

Irrésistiblement attirée, elle courut vers lui.

Quand elle l'eut rejoint, elle lui dit d'une voix haletante :

– J'ai prié... j'ai prié désespérément pour vous venir en aide.

– Vous m'avez sauvé, dit le duc calmement, et je ne sais pas de quelle manière vous prouver ma reconnaissance.

Il soupira profondément.

– J'ai peine à croire que ce qui vient de se passer est bien réel et que vous vous êtes trouvée là au bon moment.

– J'étais descendue... à la chapelle... parce que... je voulais... prier. Je voulais remercier Dieu pour cette merveilleuse soirée, expliqua Lavela, mais je crois que c'est Lui qui m'a envoyée là pour vous venir en aide.

– J'en suis sûr.

Il posa le revolver qu'il tenait encore à la main sur le prie-Dieu le plus proche et dit :

– Il me semble que nous devrions rendre grâces à Dieu ensemble.

Lavela lui fit un sourire qui accentua encore son air angélique.

Puis, ayant compris ce qu'il souhaitait, elle se mit à genoux sur les marches de l'autel.

Le duc l'y rejoignit et ils fermèrent les yeux tous deux en même temps.

Puis, quand le duc eut dit la plus fervente prière de sa vie, il tendit la main pour aider Lavela à se relever.

— Vous m'avez sauvé la vie! répéta-t-il.

— Vous ne croyez pas... qu'il peut... encore essayer de... de vous blesser? murmura-t-elle.

— Si, je pense qu'il n'en restera pas là. Tout ce que je peux souhaiter, c'est qu'à la moindre menace, tel mon ange gardien, vous réussirez de nouveau à me protéger.

— J'essaierai... Vous savez bien que j'essaierai... mais... j'ai peur.

Elle était si jolie, tandis qu'elle levait vers lui son visage avec une expression d'anxiété dans les yeux, que le duc dit:

— J'ai remercié Dieu, mais il me semble que je dois vous remercier, vous aussi.

Disant cela, il l'entoura de ses bras et se pencha pour l'embrasser.

Ce baiser ne fut qu'une légère caresse car il n'avait pas encore pris conscience qu'elle était aussi une femme séduisante.

Tel un ange envoyé du ciel, elle venait de l'arracher à une situation si humiliante qu'il préférait ne pas y penser.

Petit à petit, il sentit sous sa bouche la douceur des lèvres de Lavela et son baiser se fit plus possessif, plus pressant. Cependant, ce baiser était encore empreint de respect.

151

Pour Lavela, ce fut comme si les portes du Paradis s'ouvraient devant elle et elle se sentit emportée dans un tourbillon.

C'était son premier vrai baiser et elle fut surprise quand les lèvres du duc touchèrent les siennes. Être embrassée par un être aussi prodigieux que le duc lui paraissait tout simplement merveilleux.

Puis une sensation étrange la saisit, une sensation qu'elle n'avait jamais ressentie auparavant. Un peu comme si la lumière des étoiles scintillait en elle.

La même lumière les enveloppait tous deux et c'était une lumière sacrée.

Sans même s'en rendre compte, elle se pressa contre lui.

Il la serra plus fort dans ses bras et elle éprouva une émotion encore plus intense. Si intense, si parfaite, et en même temps si immatérielle, qu'elle sut que c'était l'Amour. Un amour incroyable, stupéfiant irrésistible.

Comme les lèvres du duc devenaient de plus en plus possessives, elle sentit qu'elle ne s'appartenait plus, mais qu'elle était à lui.

Lorsqu'il releva la tête, le duc s'aperçut qu'elle ne le regardait pas comme un homme mais comme un dieu. Et il pensa qu'il n'avait jamais vu un visage aussi radieux. Et en même temps aussi beau.

— Ma chérie, par quelle magie pouvez-vous me faire ressentir un tel trouble? demanda-t-il.

Puis il l'embrassa de nouveau.

Il l'embrassait maintenant non plus comme un être éthéré mais comme une femme extrêmement désirable.

Était-ce le fait de se trouver dans un lieu saint, était-ce parce qu'ils venaient de vivre des minutes dramatiques, toujours est-il que le duc prit conscience qu'il n'avait jamais rien éprouvé de tel pour les autres femmes avant Lavela.

Il l'embrassa de nouveau mais avec plus de douceur. Puis il dit :

– Je pense qu'il serait très maladroit d'ébruiter ce qui s'est passé cette nuit.

– Les domestiques ne parleront-ils pas? demanda Lavela timidement.

– Je ferai en sorte qu'ils gardent le silence.

Il la regarda très tendrement et ajouta :

– Maintenant, je veux que vous alliez vous coucher et que tout ce que vous venez de vivre ne soit plus qu'un mauvais rêve qui malheureusement a terni le bonheur de votre soirée.

– Comment pourrais-je l'oublier quand vous êtes encore en danger? murmura Lavela.

– Pour l'instant, je n'ai rien à craindre, et mon voyou de cousin sera hors d'état de nuire pendant au moins quarante-huit heures!

– Mais... après?

– Après, je m'en remettrai à vous et, bien sûr, à Dieu pour veiller sur moi, répondit simplement le duc.

Il parlait avec une sincérité qui l'aurait étonné

153

en d'autres temps et le regard de Lavela s'en trouva de nouveau éclairé.

– Je ferai tout ce que vous voudrez, dit-elle, mais promettez-moi d'être prudent.

– Nous reparlerons de tout cela demain, répondit le duc.

Il lui prit la main et tous deux quittèrent la chapelle en laissant les chandelles allumées.

Au pied de l'escalier qui menait à l'étage où se trouvait la chambre de Lavela, le duc l'embrassa à nouveau en lui disant :

– Bonne nuit, ma chérie, faites de beaux rêves et oubliez le cauchemar que nous venons de vivre.

– Je rêverai... de... vous..., murmura Lavela.

Puis, comprenant qu'il attendait qu'elle montât, elle s'engagea dans l'escalier.

Il ne la quitta pas des yeux jusqu'à ce qu'elle eût atteint le palier.

Elle lui fit alors un signe de la main, puis il se dirigea vers le hall d'entrée.

Comme il s'y attendait, le veilleur de nuit et le valet de pied s'y trouvaient.

La porte d'entrée encore ouverte laissait pénétrer l'air glacé de la nuit.

Le duc put apercevoir au loin une chaise de poste tirée par deux chevaux. Elle passa le pont qui enjambait le lac puis disparut derrière les chênes centenaires qui bordaient la route.

Quand le duc ne distingua plus rien, il ordonna sèchement :

154

– Fermez la porte!

Le valet obéit, tira les deux verrous et tourna la clé dans la serrure.

Alors, le duc parla plus calmement. Tout ce qui s'était passé dans la chapelle devait rester secret. Personne, ni au château ni à l'extérieur, ne devait jamais rien en savoir. En cas de désobéissance, ils seraient immédiatement renvoyés, et sans la moindre référence.

– Je n'ai encore jamais exigé cela d'aucun membre de mon personnel mais, comme il s'agit d'une chose très grave, je veux que vous me juriez sur l'honneur que vous n'en parlerez jamais à personne.

– J'vous donne ma parole d'honneur, M'sieur l'Duc, promit le veilleur de nuit.

Et le valet de pied lui fit écho.

Puis, le duc qui s'éloignait se ravisa soudain et demanda :

– D'où venait cette chaise de poste?

– De Londres, M'sieur l' Duc, et le cocher m'a dit qu'il avait mis quat' bonnes heures pour venir, vu qu' le révérend s'arrêtait à chaque auberge pour boire un coup.

Le duc resta silencieux et le valet de pied ajouta :

– Tout comme le cocher, lui aussi m'a d'mandé un verre de bière quand il est arrivé. J'lui ai donné et il est parti en chantant.

Un tel comportement n'étonna pas le duc. C'était bien ce qu'on pouvait espérer d'un prêtre recruté par Jocelyn.

Il n'ignorait pas qu'à Londres, il était toujours possible de trouver un homme d'Église prêt à célébrer des unions à n'importe quelle heure du jour ou de la nuit. Ils étaient le plus souvent requis par des femmes sans scrupules qui, ayant attiré dans leurs rets des hommes fortunés, profitaient de ce que leur cerveau embrumé par l'alcool les empêchât de voir le piège dans lequel ils tombaient et les forçaient au mariage.

Si son mariage avec Fiona avait été consacré, aurait-il pu prouver qu'il était illégal ?

De plus, et Jocelyn ne le savait que trop bien, il aurait reculé devant le chagrin qu'il aurait causé à sa famille en portant l'affaire devant les tribunaux.

Tandis qu'il remontait dans sa chambre, il se demandait comment prouver sa reconnaissance d'avoir échappé à un tel désastre.

Ce piège bien manigancé aurait sans aucun doute ruiné à jamais le reste de son existence.

En se mettant au lit, il pensa à Lavela. Non seulement elle était jolie, mais également très intelligente.

Aucune femme au monde n'aurait trouvé le moyen d'empêcher la mascarade montée par Jocelyn avec tant de perfidie.

Quand il était entré dans la chambre du duc, il avait dit d'une voix haletante :

« Sheldon, si curieux que cela puisse paraître, il y a eu un accident dans la chapelle et je pense qu'il faudrait que vous veniez rapidement. »

Au seul mot de « chapelle », l'image de Lavela s'était imposée immédiatement dans l'esprit du duc.

« Qui est-ce? Qu'est-il arrivé? »

– Pas le temps de vous expliquer, avait répliqué Jocelyn. Venez seulement avec moi le plus vite possible. »

Il était parti le premier et Sheldon l'avait suivi sans poser d'autres questions.

Quand il était arrivé à la chapelle, Fiona était là.

Puis, après que Jocelyn eut sorti son revolver, il avait compris qu'il était tombé dans un piège.

En repensant à la suite des événements, il se dit que ce n'était sûrement pas un hasard si Lavela, qui avait l'air d'un ange, en avait utilisé un pour venir à son secours.

Il était très fier de ses deux anges bavarois. Il espérait seulement que celui qui gisait sur le sol pavé de la chapelle pourrait être réparé. Mais était-ce vraiment important, alors qu'il était sain et sauf, du moins pour le moment?

Et... qu'il aimait Lavela.

« Je suis trop vieux pour qu'elle s'intéresse à moi », se dit-il.

Puis il se rappela la façon dont elle avait répondu à son baiser, la façon dont elle s'était blottie dans ses bras, et il comprit qu'elle l'aimait aussi.

Et c'était comme cela qu'il voulait être aimé.

Pas seulement pour son titre.

A partir du moment où ils avaient prié ensemble, une étroite affinité s'était établie entre eux, mais il ne s'était pas rendu compte immédiatement que c'était l'Amour. Parce que c'était un amour différent de ce qu'il avait ressenti auparavant.

Ce n'était pas le feu dévorant d'une passion physique comme celle qu'il avait éprouvée pour Fiona et pour les femmes qui l'avaient précédée.

Petit à petit, il prenait conscience que Lavela l'adorait de la même façon qu'il l'adorait lui-même.

Elle était la perfection faite femme.

Il savait, sans même qu'elle eût besoin de lui dire, qu'elle l'aimait non seulement de tout son cœur, mais aussi de toute son âme.

Il n'avait guère pensé à son âme jusqu'à présent, mais s'il en possédait une, il savait qu'elle appartenait à Lavela.

Avant de s'endormir, il se dit qu'il était l'homme le plus heureux du monde.

Cependant, il se demanda quelle serait la réaction de sa famille. Elle manifesterait sans nul doute son désaccord quand il leur annoncerait son mariage avec la fille du pasteur de Little Bedlington.

Le lendemain, le duc se réveilla de bonne heure.

Sa première pensée fut d'aller vérifier que

Fiona avait bien obéi à ses ordres. Il souhaitait qu'elle quittât le château sans rencontrer âme qui vive.

Elle avait été humiliée et il espérait qu'il lui resterait assez d'amour-propre pour ne pas avoir envie d'en parler à quiconque. Cependant, comment être sûr qu'une femme sache tenir sa langue?

Il sonna donc son valet et envoya chercher M. Watson. Il lui donna ses instructions et le chargea de tout mettre en œuvre pour que lady Faversham parte par le premier train qui pourrait s'arrêter à la gare du village.

La gouvernante du château devait s'assurer que tous les bagages de Fiona étaient prêts.

Quand il eut tout organisé, il pensa avec soulagement qu'il n'aurait plus jamais aucun souci à se faire à ce sujet. Cela lui laissait l'esprit libre pour penser à Lavela.

Maintenant, à la lumière du jour, les difficultés qu'il rencontrerait pour l'épouser semblaient fondre sur lui comme des vautours.

Il s'inquiétait pour elle plus que pour lui-même.

Il savait à quel point sa famille serait choquée.

Ils allaient tous s'indigner d'une telle mésalliance. Ils exigeraient pour lui une épouse qui puisse tenir dignement son rang de duchesse. Et l'on ne pouvait guère attendre cela d'une jeune fille qui n'avait presque jamais quitté son village de Little Bedlington.

Ils risquaient de se montrer cruels et méprisants envers elle.

Le duc savait à quel point les femmes, et spécialement celles d'un certain âge, étaient capables de blesser et d'humilier une jeune fille sans défense. A plus forte raison si cette jeune fille n'était pas de leur milieu.

Il sentait instinctivement qu'il devait la protéger. Surtout contre les blessures morales qui pouvaient être parfois tellement plus douloureuses que les blessures physiques.

Il ne supportait pas l'idée que Lavela puisse perdre sa confiance dans le genre humain, elle qui avait toujours vécu dans un monde d'amour. Elle qui ignorait tout de l'envie, de la haine et de la méchanceté qui régnaient dans la haute société. Et des mesquineries qui étaient de règle parmi les femmes.

Il se moquait pas mal des mauvaises langues, mais il ne voulait pas que l'on pense du mal d'elle.

La première des précautions à prendre était de continuer à cacher l'amour qu'ils ressentaient l'un pour l'autre.

Le secret le plus absolu devait être gardé jusqu'au départ des invités, après l'inauguration du théâtre.

Il voulait que chacun d'eux regarde Lavela comme un bel ange à la voix superbe et non comme une petite campagnarde assez rusée pour prendre le duc dans ses rets.

160

Il envoya donc son valet remettre un mot à la femme de chambre au service de Lavela, pour qu'elle lui demande de se rendre au théâtre immédiatement.

Il ne prenait aucun risque en lui faisant parvenir un tel message, car il était tout naturel de la convoquer dans le théâtre où elle devait chanter.

Il l'attendit dans une des loges.

Cinq minutes plus tard, elle passa en courant la porte de communication entre le château et le théâtre.

Elle ne le vit pas tout de suite.

Il l'observa, tandis qu'elle le cherchait du regard. Son visage exprimait une attente radieuse et cela le bouleversa.

Puis, quand il l'appela doucement par son prénom, elle le vit dans la loge, tout proche d'elle, et poussa un petit cri de joie.

Spontanément, sans réfléchir, elle se jeta dans ses bras.

Comme il la serrait contre lui, elle lui demanda :

– Est-ce vrai... est-ce bien vrai... ce que vous m'avez dit... hier soir ?... que vous m'aimiez ?

– Je vous adore, confirma le duc d'une voix grave.

Elle sourit.

– Quand je me suis réveillée, j'ai pensé... que cela ne pouvait pas... être vrai... et que je l'avais... rêvé.

– C'est ce que j'ai pensé, moi aussi.

Il l'embrassa alors jusqu'à ce que tous deux en perdent le souffle.

— Maintenant, écoutez-moi, mon trésor. Je pense, et vous penserez certainement comme moi, que ce serait une grave erreur que quelqu'un soit au courant de notre amour avant la soirée de demain.

— Oui... bien sûr... je comprends. Vos invités ne doivent penser qu'à votre musique. Ils vont se rendre compte que vous avez beaucoup de talent.

— Je voudrais bien que ce soit leur réaction, dit le duc en souriant. Dès que ma famille et les autres invités auront quitté le château, nous pourrons penser à nous.

Elle lui sourit. Et elle lui parut encore plus jolie que la veille.

— Je vous aime, dit-il. Mon plus cher désir est de vous le dire et de vous le redire sans cesse. Mais nous savons tous les deux que nous avons encore beaucoup de travail d'ici demain.

Lavela hocha la tête.

Puis elle demanda, d'un ton différent :

— Êtes-vous bien sûr... que personne... ne parlera de... ce qui est arrivé hier soir?

— Absolument sûr, affirma le duc. Aussi, n'y pensons plus aujourd'hui. Vous devez concentrez vos efforts sur la répétition des enfants.

— Oui, bien sûr.

Le duc l'embrassa encore. Puis il dit :

— Nous allons faire attention à ce que personne ne devine notre précieux secret mais, si vous me regardez comme vous le faites en ce moment, il sera impossible de le cacher!

– Alors, j'essaierai... de ne pas vous regarder, répondit très sérieusement Lavela, mais ce sera difficile parce que je ne cesse de penser que vous êtes... trop merveilleux pour être... vrai.

– Je suis tout à fait vrai, et je vous aime autant que vous m'aimez. Mais, revenons sur terre, c'est-à-dire au petit déjeuner.

Lavela se mit à rire.

– Je devrais me nourrir uniquement d'ambroisie, ce serait tout de même plus romantique que les œufs au bacon!

Le duc l'embrassa encore. Puis il la ramena au château.

Tandis que Lavela se dirigeait vers la salle du petit déjeuner, il se rendit à son bureau.

M. Watson l'attendait, ce qui lui sembla bizarre car il ne le faisait jamais venir si tôt d'habitude.

– Je crains, Monsieur le Duc, de vous apporter de bien tristes nouvelles, dit M. Watson.

– Qu'est-ce à dire?

– Je viens d'apprendre qu'un accident est arrivé la nuit dernière, à la sortie du village.

Le duc resta sans réaction.

– Que s'est-il passé?

– Une chaise de poste dans laquelle se trouvaient M. Jocelyn et un prêtre est entrée en collision avec la charrette du commissaire!

Le duc attendit la suite.

– Selon le commissionnaire, Monsieur le Duc, le cocher de la chaise de poste était ivre et il menait ses chevaux à un train d'enfer.

– Continuez, ordonna le duc.

– La chaise de poste s'est retournée, poursuivit M. Watson. Le prêtre a une jambe cassée mais j'ai le regret de vous dire, Monsieur le Duc, que M. Jocelyn a été grièvement blessé et qu'il est dans le coma.

– Il est donc encore en vie? demanda le duc, qui se trouva une voix bizarre.

– Le docteur dit qu'il n'y a aucune chance de le sauver, il l'a fait transporter en même temps que le prêtre à l'hôpital.

Le duc s'assit à son bureau. Il n'était pas assez hypocrite pour ne pas reconnaître que la mort de Jocelyn était pour lui un soulagement.

Cependant, il éprouvait une sorte de malaise en prenant conscience que c'était lui qui l'avait renvoyé et qu'il était donc en partie responsable de l'accident.

– Je me demandais, dit M. Watson, si, étant donné l'arrivée imminente de Leurs Altesses Royales, il ne serait pas plus judicieux de passer sous silence l'état de santé de M. Jocelyn jusqu'à ce que la représentation de demain soir soit terminée.

– Bien sûr, Watson, vous avez tout à fait raison, approuva le duc.

– Le docteur Graham attend vos instructions,

Monsieur le Duc. Il a reconnu M. Jocelyn mais, comme il était en tenue de soirée, personne n'a su qu'il séjournait ici pour quelques jours, et le docteur n'a rien dit.

Le duc connaissait le docteur Graham. C'était un homme d'un certain âge qui soignait son père et tous les membres de sa famille lorsqu'ils étaient souffrants pendant leurs séjours à Moor Park.

Le duc pensa que ce docteur était plein de tact et de discernement. Il avait bien compris qu'il ne serait pas facile de divertir le prince et la princesse de Galles s'ils avaient présent à l'esprit le décès imminent de Jocelyn.

Le docteur Graham était un proche des Moore et il était certainement au courant de la déplorable conduite de Jocelyn. Comme tout le village d'ailleurs, qui n'ignorait rien de son existence tapageuse et de la façon dont il dilapidait la fortune familiale.

— J'irai voir le docteur Graham dès que j'aurai pris mon petit déjeuner, dit le duc.

— C'est la réponse que j'attendais de vous, Monsieur le Duc.

— Il a raison, naturellement, continua le duc. Si quelqu'un apprend ce qui s'est passé, ce sera extrêmement embarrassant et gâchera à la fois la réception et le spectacle de demain soir. Je suis extrêmement reconnaissant au docteur Graham pour sa discrétion, dit le duc, et, Dieu merci, monsieur Watson, je peux me fier à la vôtre.

M. Watson sourit et le duc quitta le bureau pour aller prendre son petit déjeuner.

Chemin faisant, il pensa que cette fois Lavela n'aurait pas besoin de lui suggérer de faire une prière d'action de grâces.

Il était éperdu de reconnaissance envers Dieu, qui le protégeait avec tant de bonté.

Lorsque le docteur Graham reçut la visite du duc, il lui confirma que quelques villageois seulement étaient au courant de l'accident et qu'en aucune façon ils n'avaient eu l'idée d'associer la chaise de poste et le duc.

CHAPITRE VII

Leurs Altesses Royales arrivèrent le vendredi dans la soirée.

Le prince et la princesse eurent un mot aimable pour chacun des membres de la famille de leur hôte.

Le duc, pendant ce temps, guettait les réactions de Lavela. Il trouvait que la lueur d'excitation qui apparaissait dans ses yeux était comparable à celle d'un enfant assistant à un spectacle féerique.

Presque aussitôt après, les invités montèrent dans leurs chambres se changer pour le dîner.

Dans ses cuisines, le chef, qui était aussi fébrile que les invités, se surpassa. Chaque plat fut un réel chef-d'œuvre.

Ce n'était pas la première fois que le prince séjournait à Moor Park. Mais c'était la première fois qu'il y venait avec la princesse.

– Il me tarde d'assister à l'inauguration de votre théâtre, dit de sa voix douce la princesse Alexandra. Et je suis certaine que le spectacle que vous nous avez organisé sera charmant.

– Mon seul désir est qu'il vous plaise, Madame. C'est, en tout cas, un spectacle original.

Tout en discutant avec la princesse, le duc se souvint qu'elle était très mélomane. Avant que son père n'accédât au trône du Danemark, sa famille avait connu des revers de fortune et c'est avec sa propre mère qu'elle avait découvert la musique. La reine, née Hesse-Cassel, avait six enfants, tous plus doués les uns que les autres.

Le duc était certain que la princesse Alexandra serait sensible au fait que, pour l'inauguration du théâtre, les acteurs venaient tous du même petit village de son domaine.

Quand les messieurs rejoignirent les dames au salon après le dîner, le duc fut bien heureux que Fiona soit partie. Il n'avait plus à craindre qu'elle supplie le prince d'intercéder en sa faveur auprès de lui pour qu'il l'épouse.

Il n'avait plus non plus à appréhender les incartades de Jocelyn qui ne perdait aucune occasion de choquer sa famille.

En entrant dans le salon, il vit, à sa grande surprise, que Lavela était assise à côté de la princesse Alexandra. Elles étaient en grande conversation.

Il ne put s'empêcher de trouver extraordinaire qu'une jeune fille aussi réservée que Lavela ne se montre pas le moins du monde effrayée ou tout du moins intimidée en présence d'une Altesse Royale. En fait, elle semblait tout à fait à l'aise.

Elles riaient toutes deux de bon cœur quand il traversa la pièce pour les rejoindre.

– Je suis assez curieux de savoir, Votre Altesse Royale, ce que peut bien vous raconter Lavela pour vous faire rire ainsi.

— Nous parlions des musiciens et de leurs curieuses petites manies avant d'entrer en scène, répondit la princesse.

Le duc leva les sourcils d'un air interrogateur et Lavela expliqua :

— Je racontais à Son Altesse Royale qu'un des amis de Papa, un éminent violoniste, avait la curieuse habitude, avant de jouer, d'embrasser le mouchoir qu'il posait sous son menton pour appuyer son violon parce qu'il pensait que cela lui porterait bonheur !

— Et je racontais à Mlle Ashley, dit la princesse pour ne pas être en reste, que l'un de nos plus célèbres pianistes au Danemark a toujours dans sa poche une araignée vivante enfermée dans une boîte quand il joue.

Le duc se mit à rire et dit :

— Maintenant que vous me le faites remarquer, il est vrai que de nombreuses vedettes ont ce genre de superstitions. Peut-être devrions-nous les rassembler et en faire un livre.

La princesse s'esclaffa, mais Lavela intervint :

— Je ne suis pas certaine que les artistes qui se découvriraient dans ce livre apprécieraient beaucoup de voir leurs petites manies dévoilées au grand jour. Et puis, cela ne changerait-il pas leur façon de jouer par la suite ?

Le duc apprécia cette remarque empreinte de bonté et sourit à Lavela.

Comme elle lui rendait son sourire, il se ressaisit car personne ne devait s'apercevoir de leur complicité amoureuse.

Tout le monde monta se coucher de bonne heure. Mais le duc était persuadé qu'un bon nombre d'invités, très excités par la perspective des festivités du lendemain, auraient du mal à trouver le sommeil.

Lui, son souhait était de rester avec Lavela et de faire répéter avec elle les enfants qui étaient logés dans l'aile Est.

Il avait organisé pour la princesse une visite commentée du château. Quant au prince, il se rendrait aux écuries pour qu'on lui montre les pur-sang.

La semaine précédente avait été très mouvementée pour le couple princier et le duc était persuadé qu'ils n'avaient pas envie de se dépenser outre mesure.

Il avait fait demander si une chasse serait du goût du prince. Il lui avait été répondu que Son Altesse Royale, ayant trop chassé à Sandringham, souffrait du bras. Le prince préférait donc se reposer.

Cela arrangeait le duc qui n'avait pas la moindre envie de chasser alors qu'il restait tant à faire au théâtre. Il savait bien qu'en tant qu'hôte il aurait été obligé de participer à cette chasse si tel avait été le désir du prince.

Le lendemain matin, il laissa quartier libre à tous les membres de sa famille et alla retrouver Lavela au théâtre.

Elle faisait répéter la chorale des enfants en les dirigeant depuis la fosse d'orchestre.

170

Depuis la dernière répétition, elle avait mis au point une petite mise en scène.

Entre les couplets, les enfants se prenaient par la main et formaient une ronde. Le spectacle de ces bambins si mignons et si gracieux était un ravissement.

De plus, c'était tout à fait en harmonie avec la décoration prévue par le duc qui avait fait garnir de fleurs le fond et les deux côtés de la scène.

D'immenses gerbes de lis dissimulaient les pianos à queue, car Sheldon trouvait ces instruments un peu lourds et assez peu esthétiques. Ils étaient donc placés de telle façon que le public ne puisse voir que les deux pianistes.

Le duc avait également prévu qu'à la fin du *prélude*, les pianos seraient tirés par des mains invisibles, en fait par des domestiques cachés derrière le rideau rouge.

Il descendit l'allée centrale et arriva derrière Lavela, qui devina intuitivement sa présence.

Quand les enfants eurent fini de chanter le cantique de Noël, ils s'avancèrent pour saluer en faisant une gracieuse révérence.

Le duc applaudit.

– Bravo, dit-il. Attendez-vous à être très applaudis ce soir. Aussi, avant que le rideau ne soit définitivement baissé, vous devrez venir saluer une seconde fois.

Les enfants refirent leur salut et, lorsqu'ils quittèrent la scène, Sheldon posa sa main sur l'épaule de Lavela.

– Je vous aime, dit-il.

Elle leva les yeux vers lui. Elle n'avait pas besoin de parler pour qu'il sache ce qu'elle pensait.

– Vous n'avez pas le trac? demanda-t-il.

– Seulement d'une chose... que vous soyez déçu...

Cela, il en était certain, ne se produirait pas.

Compte tenu de l'âge de ces jeunes enfants, le duc avait prévu que le spectacle aurait lieu avant le dîner.

A six heures, le public prit place dans le théâtre.

Le prince et la princesse firent leur entrée lorsque tout le monde se fut installé et l'assistance se leva pour le *God Save the Queen*.

Les lumières s'éteignirent alors dans la salle.

Puis Sheldon et Lavela jouèrent le *prélude* composé par le duc, et l'ovation qu'ils reçurent à la fin de leur duo les remplit de joie.

Après, ce fut le tour du pasteur qui, en costume d'Arlequin, présenta la suite du programme en vers troussés avec beaucoup d'humour.

Le rideau se leva ensuite sur la chorale des enfants disposée de façon à représenter un bouquet de fleurs, ce qui provoqua un murmure d'admiration dans l'assistance.

Tout ce qui suivit fut digne d'un spectacle professionnel monté sur une scène londonienne.

La saynète écrite par le duc fut remarquablement bien interprétée et il regretta un peu qu'il n'y eût qu'une seule représentation prévue.

Il était évident que Maria Colzaio chantait avec

autant de brio que jadis, du temps où elle se produisait sur toutes les grandes scènes d'Opéras européens.

Cependant, elle ne portait pas ombrage à Lavela, qui était si jolie dans son rôle d'ange que Sheldon n'avait d'yeux que pour elle.

Le texte qu'elle chantait était très émouvant :

Je le sais, écoute-moi :
Il ne faut pas craindre de mourir.
La vie demeure en toi, transparente et superbe,
Flamboyante comme le soleil.
Il n'y a que nos corps pour se flétrir
Et refuser l'élan de la vie,
Quand notre force s'est enfuie.

La suite du texte disait que toutes les bonnes actions et tout l'amour prodigué sur terre demeuraient vivants à tout jamais.

A la fin, quand le rideau retomba, on n'entendit que ce silence magique, parce que chargé d'émotion, dont rêvent tous les acteurs. C'est le plus bel hommage qu'on puisse leur rendre.

Puis les applaudissements éclatèrent et l'on entendit même le prince crier : « Bravo !... Bravo ! »

Sheldon apparut à son tour sur la scène, habillé en Père Noël. Les enfants descendirent alors dans la salle pour distribuer les cadeaux. Il y avait une surprise pour tout le monde.

Le duc avait donné *carte blanche* à M. Watson

173

pour qu'il achète ce qui lui paraissait convenir à chacun.

Et personne ne fut déçu.

Le chœur des hommes en arrière-plan, au fond de la scène, chantait : « *Réjouissez-vous, bonnes gens !* »

Enfin, les enfants remontèrent sur la scène, le rideau tomba, et on entendit un tonnerre d'applaudissements.

Le couple princier exprima le désir de rencontrer les artistes.

Le rideau rouge fut donc de nouveau levé et Leurs Altesses Royales quittèrent leur loge pour se rendre sur scène.

Le prince et la princesse félicitèrent tout le monde avec la courtoisie charmante qui leur était coutumière.

Le duc quitta son habit de Père Noël et les accompagna jusqu'au couloir qui menait au château. Ils étaient presque arrivés à l'escalier de communication, quand la princesse s'arrêta brusquement.

Dans la dernière rangée des fauteuils d'orchestre, au milieu des mamans qui accompagnaient les enfants de la chorale, était assise Mme Ashley.

La princesse la dévisagea. Le duc se demandait s'il devait la présenter quand la princesse s'exclama :

— Louise ! Mais *c'est* Louise !

Mme Ashley, réprimant un sanglot, tendit les bras.

174

A la grande surprise de Sheldon, les deux femmes, les yeux pleins de larmes, se jetèrent immédiatement dans les bras l'une de l'autre en s'embrassant.

– Louise! Je t'ai retrouvée! Ce que tu as pu me manquer pendant toutes ces années!

– Tu m'as manqué aussi, Alexandra! dit Mme Ashley.

Le prince et le duc observaient avec étonnement la scène qui se déroulait sous leurs yeux.

Une bonne partie de l'assistance s'était retournée pour regarder aussi ce qui se passait.

La princesse, prenant soudain conscience de la surprise de son entourage, dit au prince :

– Chéri, c'est ma cousine Louise de Hesse-Cassel qui, voilà de nombreuses années, s'est enfuie de chez elle. Nous n'avions aucune idée de l'endroit où elle se cachait.

– Je comprends votre surprise de la trouver ici! dit le prince. Racontez-nous donc toute l'histoire.

Le duc intervint :

– Je crois qu'il serait préférable de nous installer plus confortablement. Allons au château où, comme Votre Altesse doit l'imaginer, le dîner nous attend.

– Il faut absolument que Louise vienne avec nous, dit vivement la princesse.

– Bien sûr. Sans oublier son charmant mari et sa ravissante fille, Lavela, avec qui vous avez déjà fait connaissance.

La princesse prit Mme Ashley par la main.

– Comment as-tu pu partir ainsi, Louise ? J'ai pleuré des nuits entières après ton départ !

– Oh, Alexandra chérie, je ne voulais pas te faire de peine, mais j'étais si amoureuse !

La princesse se mit à rire.

– Alors, je ne peux que m'incliner, et cela veut dire naturellement que je suis obligée de te pardonner !

Elles montèrent ensemble l'escalier, suivies par le prince et par le duc qui n'en croyait pas ses oreilles.

Son mariage avec Lavela ne poserait plus aucun problème pour la famille Moore si Mme Ashley était la cousine de la princesse, comme il venait de l'apprendre.

Il avait neigé pendant toute la soirée, mais maintenant le soleil brillait. Cela rendait le parc, les parterres et le château encore plus beaux que d'habitude.

Mme Ashley, elle aussi, avait passé la nuit au château, mais pas seulement pour répondre au désir de la princesse.

En effet, il avait beaucoup neigé pendant le dîner et on avait informé le duc que son cocher jugeait la chaussée impraticable jusqu'à Little Bedlington et qu'il serait très dangereux de sortir les chevaux.

Maria Colzaio était, elle aussi, restée au château. En la voyant fêtée et félicitée par tout le monde, le duc était persuadé qu'elle accepterait désormais de sortir de l'anonymat.

Enfin, le duc fut ravi d'avoir la clé de l'énigme en ce qui concernait les Ashley.

Andrew Ashley lui révéla ce qu'il avait tu jusqu'à présent : il était le plus jeune fils de lord Ashbrook.

Ordonné prêtre à sa sortie d'Oxford, il avait voulu parcourir le monde avant de prendre en charge une paroisse sur les terres de son père. Il avait donc quitté l'Angleterre pendant près de trois ans.

Après avoir voyagé dans toute l'Europe et visité l'Orient, il s'était arrêté sur le chemin du retour pour visiter Saint-Pétersbourg.

De là, il s'était rendu au Danemark.

— Dès l'instant où j'ai vu Louise, dit le pasteur, j'ai su que c'était elle que je cherchais depuis toujours.

— Et j'ai éprouvé le même sentiment vis-à-vis d'Andrew, dit Mme Ashley d'une voix douce.

— Ce n'était pas gentil de nous la voler, reprocha la princesse Alexandra à Andrew Ashley.

— Il m'était impossible, Madame, de partir sans elle.

Mme Ashley leva le main.

— Ne soyez pas méchante avec Andrew. Il a essayé de me détourner de lui, mais nous savions tous deux que notre vie aurait été un cauchemar loin l'un de l'autre.

— Avez-vous été heureux ? demanda la princesse.

— Oui, et d'un bonheur si total et si intense que pas une minute je n'ai regretté de m'être enfuie, si ce n'est que tu me manquais, Alexandra chérie.

Le duc, qui écoutait tout cela, allait de surprise en surprise.

Il était heureux cependant de voir que ce qu'il ressentait pour Lavela ressemblait étrangement à ce que M. et Mme Ashley avaient ressenti l'un pour l'autre.

Ils s'étaient enfuis, et Sheldon réalisa soudain que c'était ce que Lavela et lui devraient faire eux aussi.

Comme la mort de Jocelyn était imminente, on ne pouvait pas envisager un mariage dans la famille avant au moins six mois.

La reine Victoria souhaiterait même probablement que le deuil dure plus longtemps.

Le duc sortit du salon bleu, laissant le couple royal et les Ashley évoquer des souvenirs intimes, et il partit à la recherche de M. Watson.

Après lui avoir donné ses instructions, il se rendit dans le grand salon où toute sa famille était rassemblée. Ils voulaient tous savoir ce qui se passait.

Quand il leur révéla l'identité de ce pasteur qu'ils avaient tant apprécié, ils furent unanimes pour dire que ce n'était pas une surprise pour eux.

— Cet homme a tant de distinction et de charme, dit une des tantes, que j'ai tout de suite senti qu'il était trop bien pour n'être que simple pasteur à Little Bedlington.

Le prince et la princesse quittèrent Moor Park le dimanche matin.

— C'est une des meilleures réceptions que vous ayez jamais organisées, déclara le prince en faisant ses adieux.

— Ce fut un grand honneur pour nous de vous recevoir, répondit le duc.

La princesse embrassa Mme Ashley.

— Il faut me promettre, Louise, que tu viendras nous voir à Malborough House. Et la prochaine fois que nous irons à Sandringham, nous vous inviterons tous les trois.

— Nous viendrons, naturellement, ma chère Alexandra. Je tiens absolument à connaître tes enfants.

— Nous donnerons un bal spécialement en l'honneur de Lavela quand ce sera la saison, promit la princesse.

Quand le couple royal fut parti, le duc prit Lavela par la main et dit au pasteur et à Mme Ashley :

— J'aimerais que vous veniez dans mon bureau, car j'ai quelque chose d'important à vous dire.

Le pasteur et sa femme eurent l'air surpris. Mais ils suivirent le duc, qui tenait toujours Lavela par la main, dans le couloir qui menait au bureau.

Newton ouvrit la porte et, en entrant, le duc lui dit :

– Garde ma porte, Newton, je ne veux pas être dérangé.

– Très bien, Monsieur le Duc.

La porte se referma et le duc se dirigea vers la cheminée où il se tint, le dos tourné vers le feu.

Les Ashley s'assirent, mais Lavela resta debout à côté de lui.

Il lâcha sa main et elle s'assit sur une chaise en levant vers lui un regard dans lequel il crut discerner un peu d'appréhension.

– Lavela et moi, annonça le duc, aimerions nous marier immédiatement.

– Vous marier immédiatement? s'exclama Mme Ashley en regardant sa fille. Oh! ma chérie, pourquoi ne m'as-tu rien dit?

Lavela se leva d'un bond, s'agenouilla près de sa mère et Mme Ashley l'embrassa en disant:

– C'est mon souhait le plus cher, si cela doit te rendre heureuse.

– C'est ce qui pouvait m'arriver de plus merveilleux, murmura Lavela.

Le pasteur se leva, tendit la main et dit:

– Il n'existe aucun homme au monde à qui je confierais plus volontiers ma fille qu'à vous.

– Je vous remercie, dit le duc. Cependant, il y a un problème à résoudre et j'ai besoin de votre aide.

Il leur raconta très brièvement ce qui s'était passé la nuit précédente, sans rien cacher du rôle qu'avait joué Fiona dans sa vie, mais il insista clairement sur le fait que c'était elle qui tenait à l'épouser.

180

En ce qui le concernait, depuis qu'il avait rencontré Lavela, il savait qu'il avait trouvé la femme de sa vie.

– J'ai éprouvé le même sentiment pour Louise, murmura le pasteur.

– Alors, vous comprendrez que je ne pouvais plus attendre pour lui dire combien elle comptait pour moi.

Le pasteur hocha la tête.

– Cependant, ce matin, continua le duc, j'ai appris une nouvelle qui va retarder la célébration de notre mariage.

Lavela, qui était toujours agenouillée près de sa mère, poussa un petit cri.

– Mais... pourquoi? Qu'est-il arrivé?

– La nuit dernière, lorsque Jocelyn et ce prêtre minable ont quitté le château, ils ont eu un accident.

– Un accident! s'exclama le pasteur.

Le duc répéta ce que M. Watson lui avait dit. Le prêtre avait seulement une jambe cassée mais il n'y avait aucun espoir pour Jocelyn, et il fallait s'attendre à ce qu'on annonce son décès d'une minute à l'autre.

Comme les trois personnes qui l'écoutaient restaient silencieuses, le duc continua calmement :

– Vous comprendrez que, s'il meurt, je devrai porter le deuil de mon cousin.

Il s'interrompit un instant puis continua :

– Il me sera impossible de me marier dans un avenir proche sans m'attirer une avalanche de critiques et la désapprobation de la famille Moore.

— Oui, bien sûr, je comprends, dit Mme Ashley. Ainsi, vous allez devoir attendre.

— Au contraire, nous allons nous enfuir. Comme vous l'avez fait, vous et votre mari !

Il sourit avant d'ajouter :

— Vous avez créé un précédent, vous ne pouvez pas nous blâmer si nous agissons de même.

— Qu'est-ce que... nous allons... faire ? demanda Lavela.

— Votre père va nous marier demain à la première heure et nous partirons immédiatement après.

Lavela se leva, le visage radieux.

— Est-ce possible ? Vraiment ? dit-elle d'une voix haletante.

Elle se rapprocha, toute petite à côté de Sheldon. Il la prit par les épaules.

— Mais oui, c'est ce que nous allons faire et nous aurons une très longue lune de miel. Il y a dans le monde de très nombreux endroits que j'aimerais vous faire connaître.

Elle leva les yeux vers lui en souriant. Ils étaient tous les deux si manifestement heureux que les larmes vinrent aux yeux de Mme Ashley.

Elle tendit la main vers son mari.

— Vous avez raison, dit calmement le pasteur.

— C'est ce que je souhaitais de toute façon, continua le duc. De longues fiançailles ne serviraient qu'à permettre à mon entourage de faire

182

peur à Lavela en traçant un portrait effroyable du mari que je serai.

Il disait cela pour la taquiner, mais Lavela répondit sérieusement :

— Vous n'imaginez quand même pas que je les écouterai ?

— Vous devrez donc découvrir par vous-même si je serai un bon mari ou pas ! dit le duc en souriant.

Lavela poussa un petit cri de joie et se serra contre lui.

— Je veillerai à ce que tout soit prêt pour la célébration du mariage, dit le pasteur, et, comme vous souhaitez que personne ne soit au courant, je vous propose que nous nous donnions rendez-vous à huit heures dans la chapelle privée du château.

— C'est parfait, répondit le duc. Un certain nombre de mes parents s'en vont cet après-midi et les autres ont l'intention de partir demain matin.

— Cela doit rester... secret jusqu'à ce que... nous ayons... vraiment quitté le château, dit Lavela.

— Bien sûr, et je sais que vos parents comprennent très bien cela. Par bonheur, ma famille a déjà suffisamment de sujets de conversation, dit le duc en souriant à Mme Ashley. Je sentais bien qu'il y avait un mystère autour de vous et de votre mari, et je ne comprenais pas pourquoi vous vous enterriez dans un trou comme Little Bedlington. Cela m'intriguait, mais je n'aurais jamais imaginé avoir la réponse d'une façon aussi théâtrale !

— Je croyais qu'Alexandra ne me reconnaîtrait pas après tant d'années, répondit Mme Ashley.

— Une personne qui vous a vue une fois ne peut plus vous oublier, ma chérie, dit le pasteur.

Sa femme lui prit la main.

— Je pense, mon chéri, que vous êtes de parti pris! dit-elle en souriant. Néanmoins, je suis très heureuse d'avoir retrouvé Alexandra. Elle est persuadée que ses parents me pardonneront. Nous pourrons donc aller les voir au Danemark, ainsi que ma famille en Allemagne.

— Et que deviendra Little Bedlington, demanda le duc, quand vous serez à l'étranger ou invités par le Tout-Londres?

Le pasteur se mit à rire et répondit :

— C'est très facile. Ce sera à vous et à Lavela de maintenir le bon niveau musical dont nous avons jeté les bases, et peut-être pourrez-vous l'étendre à tout votre duché.

— C'est un défi, dit Lavela avant que le duc n'ait eu le temps de répondre.

— J'y réfléchirai certainement, répondit le duc. Mais pour être tout à fait franc, ce que je veux avant tout pour l'instant, c'est avoir Lavela pour moi tout seul.

Le lendemain matin à huit heures et demie, le duc et la duchesse de Moorminster quittèrent le château en voiture.

Personne ne les vit partir, sauf les domestiques, le pasteur et Mme Ashley.

– Dieu vous bénisse, ma chérie, dit le pasteur à Lavela en l'embrassant pour lui dire au revoir.

– Il l'a déjà fait en me donnant un mari aussi merveilleux, répondit Lavela.

Elle était vraiment très jolie quand elle s'assit près de Sheldon dans leur voiture attelée à quatre chevaux parfaitement assortis.

Deux valets à cheval les escortaient.

Un soleil pâle commençait à percer dans le ciel.

Le duc pensa que, nimbée de cette faible lumière, Lavela ressemblait encore plus à un ange descendu du ciel pour lui.

Au moment où le pasteur les mariait, il avait compris qu'il commençait un nouveau chapitre de sa vie. Tout allait être différent maintenant, et à tous points de vue.

La chapelle avait été décorée selon ses instructions. Elle ne ressemblait plus à ce qu'elle était quand Jocelyn avait voulu le forcer à épouser Fiona. C'était devenu un jardin d'amour.

D'énormes bouquets de lis fleurissaient l'autel et des fleurs de toutes sortes et de toutes les couleurs ornaient les murs.

Hormis Mme Ashley, personne n'avait assisté au mariage. Mais le duc savait que Lavela était environnée d'anges qui chantaient.

Au moment de s'agenouiller pour la bénédiction, une prière de gratitude était montée du fond de son cœur et il était sûr que Lavela avait formulé les mêmes mots :

« Quel merveilleux hasard a fait que nos che-

185

mins se croisent! Et quelle chance d'avoir devant nous un avenir brillant comme le soleil! »

Heureusement, la neige avait cessé de tomber avant le lever du jour et il ne gelait pas. La route n'était donc pas dangereuse.

Cependant qu'ils roulaient à vive allure dans ce monde de blancheur immaculée, le duc ne pouvait s'empêcher de comparer ce paysage à la pureté de Lavela.

— Je vous aime, ma chérie.

— Moi aussi, je vous aime.

Elle parlait d'une toute petite voix émue, comme lorsqu'elle avait répondu aux questions du pasteur pendant la bénédiction nuptiale.

Très doucement, Sheldon lui retira son petit chapeau et le posa sur le siège à côté d'eux. Puis il la serra contre lui et dit :

— Nous nous sommes enfuis! A nous la liberté! Maintenant, personne ne pourra nous empêcher d'être ensemble et je n'ai plus besoin de faire attention à la façon dont je vous regarde.

Lavela se mit à rire.

— J'avais si peur que les gens me voient vous regarder et s'aperçoivent que je n'avais qu'une envie : être tout près de vous comme maintenant.

— Nous pourrons être encore plus proches, dit le duc.

Il vit sa femme rougir et ajouta :

— Ce soir, nous dormirons sur la route de Douvres dans une maison qui m'appartient, mais que je n'ai utilisée que lorsque j'allais à l'étranger.

– Est-ce que vous vous rendez compte, dit Lavela que je ne vous ai même pas demandé où nous allions? Je n'en ai pas eu le temps!

– Tout est organisé, dit le Duc, mais je veux que cela reste une surprise. Vous fermerez les yeux jusqu'à ce que je vous dise de les ouvrir.

Elle dit en riant :

– Je veux bien le faire... à condition que vous soyez toujours à côté de moi... quand je les ouvrirai.

– Vous pouvez en être certaine.

La maison où ils arrivèrent en fin d'après-midi était petite mais très confortable.

Le duc l'avait achetée à un ami pour pouvoir y faire étape, car Douvres était trop loin pour que ses chevaux fassent le voyage en une seule journée et il détestait descendre à l'hôtel.

Il aimait à penser qu'il lui était possible de fuir de l'autre côté de la Manche s'il était fatigué de la vie londonienne. Mais, en réalité, il s'y rendait seulement lorsqu'il était envoyé en mission spéciale par la reine ou le Premier ministre. Et il n'utilisait cette maison que dans ces moments-là.

Par bonheur, il n'y avait jamais amené une autre femme.

– C'est comme une maison de poupée! s'exclama Lavela, ravie.

– J'aurais préféré que vous la compariez à un palais et moi au Prince charmant, dit-il pour la taquiner.

– Vous savez bien que vous l'êtes et que vous le serez toujours, que nous soyons à Moor Park ou au fond d'une caverne! Vous serez vous et c'est tout ce qui m'importe!

C'était ce que le duc avait toujours désiré et qu'il avait craint de ne jamais trouver.

Peu importait son titre et sa fortune, sa femme l'aimait pour lui-même.

Quand, plus tard dans la soirée, le duc se rendit dans la chambre de Lavela, il s'attendait à la trouver au lit. Mais elle n'était pas encore couchée et, debout près de la fenêtre, elle contemplait le paysage.

Une épaisse couche de neige recouvrait le sol et les étoiles scintillaient déjà dans le ciel.

La lune presque pleine brillait au-dessus des arbres en éclairant la terre d'une lumière magique et irréelle.

Lavela avait peine à se croire sur terre et non pas dans un paradis tout droit sorti de son imagination, où ils auraient été les seuls êtres vivants.

Le duc traversa la chambre et la prit dans ses bras.

– Quand votre regard est loin de moi comme maintenant, dit-il, j'ai un peu peur que vous ne vous volatilisiez en retournant au ciel d'où vous êtes descendue et de ne plus vous retrouver.

– Vous ne me perdrez jamais. J'ai su au moment où l'on nous mariait que nous n'étions plus deux êtres distincts mais une seule et même personne. Je suis maintenant une partie de vous... comme vous êtes... une partie de moi.

Le duc l'embrassa sur le front, la prit dans ses bras et l'emporta vers le grand lit à baldaquin de soie, où il la déposa délicatement contre les oreillers.

Le regard de Lavela restait fixé sur la fenêtre à travers laquelle elle pouvait apercevoir les étoiles.

Le duc s'allongea près d'elle et, lorsqu'il la prit dans ses bras, elle demanda :

– Est-ce vrai... est-ce bien vrai... que nous sommes ici ensemble... et que la lune et les étoiles... répandent sur nous leur... bénédiction ?

– C'est vrai, ma chérie, comme il est vrai que je vous aimerai jusqu'à ce que les étoiles tombent sur terre et que les mers soient asséchées.

Puis il se mit à l'embrasser. D'abord très délicatement, pour ne pas lui faire peur.

Lorsqu'il sentit les lèvres de Lavela répondre aux siennes et son corps frémir contre le sien, ses baisers devinrent plus passionnés, plus possessifs, plus exigeants.

Son sang commença alors à battre à ses tempes. Et cependant, son amour ne ressemblait à rien de ce qu'il avait connu auparavant.

Il savait qu'il devait être très doux pour ne pas blesser ni effrayer sa femme si jeune et si pure.

Il avait conscience de la perfection de leur amour et savait que tout ce qu'il ferait serait béni du Ciel.

— Je vous aime! Oh! Mon Dieu! Comme je vous aime!

— Quand vous m'embrassez, murmura Lavela, il me semble que... toutes les étoiles du ciel... scintillent... dans mon cœur.

— C'est exactement ce que je souhaite.

Puis, comme Sheldon recommençait à l'embrasser, il s'aperçut qu'il avait éveillé une réponse dans le corps de Lavela.

Les étoiles commençaient à se transformer en petites flammes qui s'allumaient en elle.

Il avait beaucoup à lui apprendre. Ainsi atteindraient-ils un bonheur encore plus parfait.

Ils n'en étaient qu'aux prémices, pensa-t-il, comme lorsqu'ils jouaient leur *prélude* lors de la représentation théâtrale. Ce qui allait suivre serait un éblouissement merveilleux et parfaitement divin.

— Je vous aime... Oh! Sheldon... je vous aime! Quand vous m'embrassez... il me semble... que je m'envole... vers le ciel.

Le duc ne put se contenir et ses baisers devinrent plus passionnés.

Il lui embrassa les yeux, les lèvres, le creux du cou et l'échancrure de la poitrine.

Puis, alors qu'il la faisait sienne, il sentit qu'ils avaient ensemble touché les étoiles. Et qu'ils étaient tous deux inondés de leur lumière.

Ils n'étaient plus deux simples mortels, mais des Élus partageant avec Dieu le Paradis pour l'Éternité.

DU MÊME AUTEUR

chez le même éditeur

Idylle au Ritz
Ah, l'adorable menteuse!
Coup de foudre à Penang
La découverte du bonheur
La sérénité d'un amour
Le lien magique
Étranges Amazones
La tigresse apprivoisée
Sincère ou tricheuse?
Le baiser d'un étranger
Rolfe et Zarina
Quand vient l'amour
Aucun cœur n'est libre
Double jeu
Cœur volé
Un amour en Hongrie
Trop précieuse pour la perdre

Cet ouvrage a été réalisé par la
SOCIÉTÉ NOUVELLE FIRMIN-DIDOT
Mesnil-sur-l'Estrée
pour le compte de V&O Éditions
en janvier 1992

Imprimé en France
Dépôt légal : février 1992
N° d'impression : 19550